Sommaire

Emmanuel BURY

HISTOIRE LITTÉRAIRE DU XVIIe SIÈCLE

ARMAND COLIN

Introduction

Proposer une histoire littéraire française du XVIIe siècle aujourd'hui pourrait sembler anachronique : dans le domaine des études littéraires, ces dernières décennies ont en effet imposé une diversité d'approches du fait littéraire qui pourrait rendre caduque l'idée même d'un « dix-septième siècle » autonome en la matière : on pourrait mentionner, entre autres démarches d'analyse, les études formelles – qui évacuent la dimension historique –, les études de réception – qui ajournent les catégories critiques traditionnellement opérantes, le « classicisme » devenant un objet construit par le XIXe siècle –, ou les approches sociocritiques – qui noient le « littéraire » dans l'appréhension d'un « champ » plus large, dont les enjeux se feront sentir sur la longue durée. Qu'on l'appelle « Grand Siècle » ou « classicisme », ce *moment* de la littérature française, qui correspondait à un objet nettement identifiable pour la tradition universitaire et scolaire, au moins du XIXe jusqu'au milieu du XXe siècle, selon une perspective historique dont l'*Histoire littéraire de la France* de G. Lanson offre le paradigme (1894), paraît se dissoudre au contact des outils d'interprétation et de lecture de notre époque.

De fait, sans renoncer à centrer l'intérêt sur le moment « classique » cher à la culture française, une saisie de longue durée pourrait couvrir les années 1550-1750, qui ferait du double siècle allant de l'affirmation de la Pléiade (Du Bellay, *Défense et illustration de la langue française*, 1549) au triomphe des Lumières (prospectus de l'*Encyclopédie* de Diderot, 1750) un moment nettement identifié : s'y jouent en effet l'affirmation d'une littérature proprement française, qui recueille les fruits de l'humanisme, et promeut une imitation adulte des modèles anciens pour fonder à son tour un modèle français ; la crise qui suit ce moment d'apogée (ce que P. Hazard avait perçu comme « crise de conscience européenne »), déboucherait sur un nouveau modèle à prétention universelle, dont la France offrirait une des versions les plus brillantes : les Lumières, incarnées par Voltaire, Rousseau et Diderot.

Pourtant, les historiens tendent aujourd'hui à redéfinir les contours de cette époque : une récente histoire de France propose des césures légèrement différentes : un volume (Le Roux, 2010) traite d'une période nettement identifiée comme celle des « Guerres de Religion » (1559-1629), et le suivant (Drévillon, 2011) propose une perspective centrée sur les « Rois absolus » (1629-1715). Concernant le siècle suivant, plus canonique, un volume embrasse « La France des Lumières » (1715-1789). Le directeur de cette *Histoire de France* avait lui-même proposé, dans un autre cadre, une césure nette autour de l'année 1652, pour embrasser une vaste période moderne allant de « l'affirmation de l'État absolu » (1492-1652) à « Absolutisme et Lumières » (1652-1783) (Cornette, 1993). Dans les deux perspectives, le xviie siècle semble problématique comme entité propre, car son unité ne va pas de soi : 1629 marque une césure politique majeure (paix d'Alès – qui clôt les guerres de Religion – et confirmation du « règne » de Richelieu comme principal ministre), et elle a un impact certain dans l'évolution de la littérature, étant donné l'influence du cardinal dans ce domaine. 1652 en est une autre : après l'épreuve de la Fronde (1648-1652), c'est l'affirmation de l'absolutisme qui s'impose, sous la tutelle de Mazarin, puis avec la décision de Louis XIV de régner seul (1661). La fin de ce règne exceptionnel, en 1715, serait alors la seule césure qui s'impose d'elle-même.

Confrontés à de tels problèmes de périodisation politique, certains historiens de la littérature du xviie siècle ont favorisé la notion de « génération » (Peyre, 1948), qui évacue la question en s'attachant à l'échelle biographique, qui centre l'attention sur les auteurs ; Peyre citait en exemple V.-L. Saulnier (1942), qui avait proposé de distinguer cinq générations rythmant le siècle classique : celle des réformateurs et des « constituants », dont Balzac serait « l'arbitre » (1625, l'âge de Richelieu) ; puis une génération « législative », dont Chapelain serait « l'arbitre » (génération de Mazarin, 1640), suivie d'une « génération de politesse et de querelles de pensée, avec pour « arbitre » Bouhours » ; la génération suivante serait celle de Versailles (1670), c'est-à-dire celle de l'étiquette et du roi-Soleil, dont « l'arbitre » serait Boileau, et le grand représentant Racine. Enfin l'ultime génération du siècle qui serait celle de la crise de conscience européenne, est placée sous le signe de Fontenelle (1685), avec pour « arbitre » Pierre Bayle. Utile pour exposer pédagogiquement la suite des productions littéraires, ce découpage n'est toutefois guère satisfaisant, ne serait-ce que par la longévité de certains auteurs, comme Corneille, qui échappent à l'étroitesse des tranches chronologiques proposées – outre le fait que Versailles comme centre de gravité siérait mieux à l'ultime génération, réellement contemporaine de l'installation de la cour dans le nouveau palais (1682).

Dans les années 1950, la notion nouvelle de « baroque », empruntée initialement aux historiens d'art, a renoncé à ces critères, en se tournant vers une histoire plus générale des formes – que l'on pouvait associer à une histoire des sensibilités –, ce qui a permis notamment de réévaluer la littérature du premier XVIIe siècle : on a relu pour eux-mêmes les auteurs de l'époque de Henri IV et de Louis XIII, là où Lanson ne voyait qu'« attardés et égarés », puis « pré-classicisme », dans une perspective téléologique qui faisait du « classicisme » des années 1660-1680 le sommet indépassable de la culture et de la civilisation françaises. L'autre mérite d'une telle perspective a été de replacer les productions littéraires françaises dans une perspective européenne, où le « classicisme » français n'apparaît plus que comme la « variante assagie » du baroque européen (Dubois, 1995). Cela laissait néanmoins au « classicisme » une place privilégiée, ne serait-ce que comme expression proprement française de cette sensibilité et de cette esthétique partagées par toute la première modernité européenne. Sans doute en réaction à ce point de vue, les historiens de la littérature de la dernière décennie du XXe siècle ont volontiers proposé un morcellement du siècle en plusieurs périodes « classiques », qui se distinguent par des inflexions différentes mais qui sont unies par une même conception de la création littéraire, fondée sur un rapport d'imitation et de rivalité avec les Anciens ; ainsi, R. Zuber, dans son livre intitulé *Les émerveillements de la raison* (1997), propose comme temps forts l'âge d'Henri IV – traditionnellement affecté, depuis les travaux de J. Rousset, au « baroque » – puis le cœur des années 1650 et, enfin, l'époque de Boileau et de Perrault, c'est-à-dire le moment des bilans et des « classicisations ».

Une solution est sans doute de renoncer à un découpage strict par périodes « étanches » et d'accepter les chevauchements et la coexistence de tendances diverses à un même moment du XVIIe siècle : c'est le choix qu'a fait en définitive le même auteur (Zuber, 1993), qui place l'ensemble des années 1594-1715 sous trois signes successifs, mais pas toujours exclusifs, du point de vue chronologique du moins : *l'ère de l'imagination (1594-1643), l'ère du goût (1624-1675), trop d' « esprit » ? (1675-1715).* L'ultime période est, une nouvelle fois, centrée sur la querelle des Anciens et des Modernes. Mais les deux autres permettent de faire sentir la diversité et les tensions, plus que l'accord et la norme qu'incarnerait tel ou tel grand nom. Il s'agit alors de saisir des phénomènes collectifs dans la longue durée, c'est-à-dire de leur première formulation à leur aboutissement esthétique, voire à leur épuisement. La notion de goût, ainsi placée au centre du siècle, couvre ce qu'une périodisation politique et esthétique plus étroite appelle classicisme. Elle est d'autant plus importante que, dans l'élaboration du néo-classicisme qui consacrera les auteurs du XVIIe siècle, Voltaire fera du « goût » la notion centrale de son système esthétique. *Le Temple du goût* (1733) célébrera justement les grands auteurs de cet âge d'or, esquissant le palmarès désormais familier de nos classiques : Fénelon (« aimable »), Bossuet (« éloquent »), Corneille (« sublime »), Racine (« tendre, élégant et pur »), La Fontaine (« inimitable »), Despréaux (« leur maître en l'art d'écrire ») – qui se réconcilie avec Quinault, « le poète des grâces » – et enfin Molière, lui aussi « inimitable » et « peintre de la France ».

En conservant à l'esprit ces différentes césures possibles, les pages qui suivent essaient de brosser un tableau de la littérature française de ce siècle sans imposer un découpage trop strict des différentes générations ou des variations d'esthétique, et en essayant surtout d'échapper à l'interprétation téléologique qui verrait dans le moment classique (celui du règne de Louis XIV) l'aboutissement obligé d'un processus dont les années 1660-1680 seraient l'accomplissement, suivi nécessairement d'une évolution vers la décadence ou le déclin, dont la « crise » de la fin du siècle serait un symptôme. Il est évident qu'aucun des auteurs concernés n'a vécu son propre moment d'activité comme une étape dans ce prétendu processus qui a été reconstruit, après coup, tant dans l'idéalisation du « grand siècle » proposée par Voltaire que dans les polémiques du xixe siècle qui ont imposé l'idée d'un « classicisme français ». Comme le note R. Zuber, cet idéal, reconstruit après coup, « n'apparaît en tant qu'étiquette qu'au moment où il disparaît de la scène littéraire » (Cuénin-Zuber, 1998, p. 4).

Nous proposerons donc, dans un premier temps, une présentation d'ensemble du siècle, selon un cadre historique qui rappellera les inflexions du contexte politique et culturel : sans préjuger d'un déterminisme qui placerait la littérature en position de « reflet » des évolutions de l'histoire, il s'agit plutôt de définir la succession de moments dans lesquels elle s'est développée, et les réalités auxquelles elle a été confrontée : retour à la paix de l'époque de Henri IV, période d'affirmation sur fonds de tensions politiques à l'époque de Louis XIII et de Richelieu, effervescence sociale et politique à l'époque de la Régence et de la Fronde, affirmation, une nouvelle fois, autour d'un monarque désireux de régner aussi dans l'ordre culturel au début du règne de Louis XIV et, de nouveau, tensions esthétiques – en conjonction avec une nouvelle donne culturelle et politique ? – dans les dernières décennies du règne. Il s'agira ensuite de caractériser les grands traits de la culture littéraire du siècle, entre héritage de l'humanisme et volonté de fonder une littérature nationale, puis de revenir sur ce que peut signifier l'idée même de littérature durant cette période de l'Ancien Régime. Les deux derniers chapitres tentent d'esquisser la physionomie spécifique des productions « littéraires » du xviie siècle, avant de revenir sur le legs que la pensée littéraire de cette période a laissé à la conception de la littérature française dans la longue durée.

Un long dix-septième siècle (1598-1715)

Il ne s'agit pas dans les pages qui suivent de récrire une histoire générale du XVIIᵉ siècle : d'excellents ouvrages, faciles d'accès, y pourvoient aisément. Le siècle, marqué par l'affirmation de l'absolutisme, se présente comme la succession de trois règnes dont chacun a une physionomie propre ; deux régences y jouent aussi un rôle déterminant. Tous ces moments politiques forts ont eu une incidence dans le domaine de la culture et des lettres, et c'est à ce titre qu'il nous semble utile de dresser un tableau liminaire de ces grandes inflexions. Le lecteur verra donc ici se dessiner une fresque chronologique où s'inséreront, aux côtés des événements majeurs de l'histoire politique, quelques repères d'une histoire intellectuelle – le XVIIᵉ siècle n'est-il pas celui de Descartes ? – et la mise en perspective des œuvres et des débats qui ont jalonné la vie littéraire du temps. Nous venons d'évoquer la difficulté d'une périodisation satisfaisante du siècle, et chaque point de vue mériterait une scansion différente, selon qu'on s'attache à l'histoire des institutions, à celle de la diplomatie (et des conflits) ou à celle de la religion, sans préjuger de la chronologie propre des événements culturels ou des césures de l'histoire de la pensée. C'est pour cette raison que le plus simple et le plus clair a paru de choisir la succession des règnes : Henri IV (1594-1610), Louis XIII (1610-1643), la Régence d'Anne d'Autriche et le début du règne de Louis XIV (1643-1661), le règne personnel de Louis XIV, que nous scindons en deux temps : de l'affirmation du gouvernement personnel à la Révocation de l'Édit de Nantes (1661-1685), et la fin du règne (1685-1715).

1. Le renouveau henricien (1594-1610)

Le règne de Henri IV ne commence pas de manière nette : lorsque Henri III meurt assassiné le 1ᵉʳ août 1589, Henri de Navarre, né en 1553, a trente-cinq ans, et il devient roi de France en titre ; mais il lui reste encore à conquérir son royaume, qui est alors secoué par les troubles de la Ligue, qui tient Paris (depuis 1588) et qui refuse le nouveau roi à cause de sa confession protestante. Pour assurer sa légitimité, Henri IV abjure le protestantisme le 25 juillet 1593 : cela amorce le processus de rattachement des provinces et des principales villes du royaume au nouveau monarque. Le roi est ensuite sacré à Chartres le 27 février 1594, et il accède ainsi pleinement à la dignité monarchique ; l'entrée à Paris un mois plus tard (22 mars) consacre sa popularité : le pardon royal qu'il fait diffuser alors incite à la pacification des esprits, puisqu'il promet de ne mener aucune poursuite contre ses adversaires de la veille. Le processus de « resacralisation » du monarque (Cornette, 1993) s'achève l'année suivante (17 septembre 1595), lorsque le pape Clément VIII absout Henri IV de toute hérésie (ce qui confirme l'abjuration de 1593). En renouant ainsi avec la religion catholique, le nouveau monarque scellait l'alliance du pouvoir et de la foi, tout en attestant la prééminence de l'intérêt supérieur de l'État sur le débat de conscience personnel : c'était signer le triomphe des « Politiques », cette élite parlementaire qui avait soutenu le nouveau roi – contre la Ligue –, et dont la *Satyre ménippée*, ouvrage polémique et satirique qui avait circulé en manuscrit dès 1593, avait exposé les vues, où l'intérêt de la paix civile l'emportait sur les enjeux purement confessionnels.

L'entrée du monarque à Paris avait aussi marqué le départ de la garnison espagnole qui symbolisait la politique de Philippe II : le roi d'Espagne avait en effet soutenu les menées de la Ligue. Dès janvier 1595, Henri IV déclare la guerre à l'Espagne, et après plusieurs années de campagne dans le Nord de la France (siège d'Amiens, 1597), il obtient la paix, signée à Vervins le 2 mai 1598. L'affrontement entre les deux royaumes demeure une constante de tout le premier XVIIᵉ siècle, et ce sera la grande affaire de la politique étrangère des Bourbons jusqu'à l'avènement de Louis XIV. Cela détermine aussi le mariage des deux successeurs d'Henri IV, qui scellent les accords diplomatiques entre les deux monarchies : Anne d'Autriche (1601-1666, fille de Philippe III) épouse Louis XIII (28 novembre 1615), puis Marie-Thérèse d'Autriche (1638-1683, fille de Philippe IV et petite-fille d'Henri IV) épouse Louis XIV (3 juin 1660). L'ombre de l'Espagne, la grande puissance européenne et mondiale de la première modernité, se dresse donc à l'horizon de l'imaginaire français du XVIIe siècle : sa littérature et sa spiritualité irrigueront la culture française sur la longue durée.

La paix avec l'Espagne avait été précédée de peu par l'autre grande mesure du nouveau monarque, la promulgation de l'Édit de Nantes, le 30 avril 1598, qui met véritablement un terme aux guerres de Religion. L'édit « de tolérance » prend en effet toutes les dispositions pour permettre aux Réformés d'exercer leur religion en toute liberté de conscience. Il est vrai qu'il vise surtout à assurer la paix civile en limitant toute possibilité de réunion ou d'organisation susceptible de favoriser une sédition, avec notamment un contrôle strict de la production imprimée ; il laisse aussi une prééminence à la religion officielle du royaume, ne serait-ce qu'en astreignant les « prétendus réformés » à la dîme destinée aux curés. Mais l'essentiel est acquis, et ce régime de « tolérance » va dans le sens de l'édification d'un État qui assoit son autorité sur un ordre civil prenant ses distances avec l'ordre strictement religieux : cela a pour conséquence l'avènement de ce que l'on commence alors à désigner sous l'appellation de « Raison d'État », qui accompagne l'affirmation de la monarchie absolue (Thuau, 1966).

Cela permet aussi l'ouverture d'un espace civil apparemment « neutre », où il s'agira désormais de reconquérir les âmes qui pourraient rester en suspens entre les deux confessions, catholique et protestante : d'où va naître l'intense production du XVIIe siècle en matière de spiritualité, au point qu'on a pu lui conférer le nom de « Siècle des Saints ». La production d'écrits consacrés à cette reconquête a une incidence déterminante sur la littérature du siècle, où poésie religieuse, écrits de spiritualité, sermons et théâtre sacré vont longtemps constituer la part dominante des livres publiés, au point de susciter, pour l'importation de la spiritualité venue d'Espagne, de véritables opérations de librairie (traduction des œuvres de Louis de Grenade, de Jean de La Croix et de Thérèse d'Avila).

Cet espace civil d'un nouvel ordre peut expliquer l'ambition de l'œuvre de Pierre Charron (1541-1603) dont la *Sagesse* paraît en 1601 : la « prudhommie » qu'il défend, dans la lignée des *Essais* de Montaigne (dont l'édition définitive venait d'être publiée en 1595), se détache explicitement de la sphère des théologiens, pour promouvoir une morale proprement humaine. Charron va rapidement apparaître comme le promoteur d'une pensée affranchie de toute religion, qui est, à bien des égards, l'autre face du phénomène dévot : le champ ouvert par la nouvelle donne religieuse crée en effet, dans le sillage de Montaigne, l'essor de ce qu'on a appelé le « libertinage », qui définit un rapport critique à la religion et aux superstitions populaires et dont l'expression la plus visible durant le règne de Henri IV est la libération du ton et des mœurs qu'illustre, entre autres, la poésie gaillarde du temps (voir ci-dessous, p. 78). Autre symptôme de cette nouvelle donne, autre grande œuvre de l'époque, *L'Introduction à la vie dévote* de François de Sales (1567-1622) paraît en 1608 : il s'agit là de promouvoir une dévotion auprès de laïcs qui désirent vivre chrétiennement sans renoncer au monde. Tous ces textes témoignent, dans des perspectives différentes, d'un besoin de reconquérir le champ de la morale commune, laissé en friche par les excès polémiques des décennies qui ont précédé, où l'optimisme humaniste avait sombré en bonne part. Si la fin des guerres de religion avait vu renaître certaines doctrines antiques, comme le stoïcisme (cultivé, en autre, par Juste Lipse, un des maîtres avoués de Montaigne) ou le scepticisme (autre tentation majeure de la pensée montaignienne), elle laisse le champ libre à de nouvelles formulations, que l'optimisme suscité par le nouvel ordre henricien va favoriser durant au moins une décennie. Il est significatif, à cet égard, que l'œuvre d'un Guillaume Du Vair (1556-1621) oscille entre piété tridentine (*De la Sainte Philosophie*, 1587) et néo-stoïcisme (*Traité de la constance et consolation ès Calamités publiques*, 1590), pour déboucher sur une défense de la vie civile (*Exhortation à la vie civile*, rédigée vers 1590). Devenu un représentant majeur de la nouvelle monarchie (il préside le Parlement de Provence dès 1599), il met son éloquence au service de la paix retrouvée et de la reconstruction du royaume entreprise par Henri IV.

Car là est l'acquis majeur du règne, qui a marqué durablement les esprits, au-delà de la légende du « bon roi Henri » que le monarque a su lui-même orchestrer avec talent. Avec l'aide de Sully (Maximilien de Béthune, 1559-1641), qui devient surintendant des finances dès 1599, Henri IV a entrepris de restaurer le royaume revenu enfin à la paix. Prolongeant la victoire militaire contre la Ligue, il a su asseoir son pouvoir sur une œuvre législative, notamment en réformant les finances du royaume pour assurer une prospérité durable. L'instauration du droit annuel des offices (décembre 1604, ce qu'on a appelé par la suite « paulette », du nom du financier Paulet qui l'institua) assure des revenus réguliers au trésor royal (chaque officier versant annuellement le soixantième du prix de son office). Cela a eu pour effet de créer l'hérédité des charges, et par conséquent la montée en puissance d'une noblesse de robe étroitement liée aux destinées du royaume (donc plus disciplinée que la vieille noblesse d'épée, toujours prête à se rebeller). Le poids de cette noblesse d'office croîtra durant tout le siècle, du fait des besoins financiers grandissants de l'État. En matière de politique religieuse, Henri IV est farouchement gallican, comme tout le parti des « politiques » qui l'a soutenu, et il s'efforce d'écarter l'influence de Rome : ce dont témoigne la mise à l'écart des jésuites, entre 1594 et 1603 ; le retour de la compagnie, dont le roi avait besoin, notamment pour encadrer le renouveau pédagogique du royaume, était désormais lié à la nécessité de prêter serment au roi. Les réserves de l'Église de France à l'égard des décrets du Concile de Trente sont une donne majeure des débats religieux qui se poursuivent pendant tout le siècle, et dont la littérature se fera l'écho à de nombreuses reprises.

Le sentiment de vivre un retour de l'âge d'or trouve un écho direct dans le roman d'Honoré d'Urfé, *L'Astrée* (dont la première partie paraît en 1607 – voir ci-dessous, p. 89) ; les éléments historiques présents dans le roman, qui est situé aux temps originaires de la Gaule mérovingienne, affirment cette idéologie et célèbrent la prospérité d'un temps de paix retrouvée. D'Urfé, ancien ligueur, mettait sa vaste culture humaniste au service de la nouvelle idéologie monarchique, tout en préservant et en stylisant les acquis de la haute culture aristocratique dont il était l'héritier et qui demeureront au cœur des idéaux romanesque du siècle, jusqu'à la Fronde au moins. La littérature de fiction accompagne ici le renouveau de l'éloquence, que Du Vair illustre dans ses actions et harangues (publiées en 1606); tout cela va de pair avec le triomphe d'une poésie officielle moderne dont Malherbe se fait le promoteur (*Ode à Marie de Médicis* en 1600, *Prière pour le Roi allant en Limousin*, en 1605). D'autre part, le goût du roi lui-même, volontiers gaillard, autorise aussi la floraison d'une poésie libre et satirique, dont Mathurin Régnier est une des figures exemplaires (*Premières Œuvres*, 1608).

L'assassinat du roi, le 14 mai 1610, marque un coup d'arrêt à cette période euphorique. Il est vrai qu'elle semblait déjà menacée par des projets de guerre envisagés par le monarque, à la suite de la crise dynastique qui frappait l'Empire des Habsbourg (à cause de la mort du duc de Clèves et de Juliers en mars 1609); il se trouve que l'attentat survient le lendemain même du sacre de Marie de Médicis, que le roi avait épousée dix ans plus tôt. Le futur Louis XIII n'ayant alors que huit ans (il est né le 27 septembre 1601), une régence d'impose, et elle échoit donc à la reine mère. Une nouvelle période d'incertitudes s'ouvre alors.

2. Louis XIII, prince baroque? (1610-1643)

La majorité du jeune Louis XIII ne sera proclamée qu'en 1614; il a alors 13 ans. La régente, sa mère Marie de Médicis, gouverne en s'appuyant sur Concini, un noble florentin qui l'avait accompagnée lors de sa venue à Paris, en 1600. L'élévation du favori au titre de Maréchal de France en novembre 1613 suscite la colère des « grands », qui quittent la Cour, et réclament des États généraux – l'instance qui permet aux trois « états » (clergé, noblesse, tiers état) de faire entendre ses doléances au monarque. Cette opposition des grands (les « malcontents ») à la politique royale caractérise tout le règne, et elle culminera une dernière fois avec la Fronde (1648-1652). Cela n'empêcha pas la Régente de poursuivre sa politique de rapprochement avec l'Espagne : elle visait en effet à resserrer les liens entre les deux couronnes – soutenue en cela par le parti dévot, qui voyait en Philippe III le protecteur naturel de la religion catholique –, et elle arrangea le double mariage de l'infante d'Espagne, Anne d'Autriche, avec son fils Louis XIII, et de sa fille Élisabeth avec l'infant d'Espagne, le futur Philippe IV (1605-1665). Malgré l'hostilité des grands, les deux mariages sont célébrés à la fin de l'année 1615. Marie de Médicis impose alors ses choix politiques : Condé est embastillé en septembre 1616 (il va le rester jusqu'en 1619), Concini renvoie les anciens ministres d'Henri IV.

On comprend que les protestants se sentent alors menacés : réunis en assemblée dès 1611 à Saumur, ils organisent un réseau d'assemblées (les « cercles ») pour veiller à toute initiative qui menacerait l'autonomie huguenote et pour renforcer les places fortes protestantes. Les figures principales qui animent cette politique sont aussi des « grands » : le duc de Rohan (1579-1638), le duc de Bouillon (prince souverain de Sedan), le duc de Soubise. Cette opposition protestante représentait, aux yeux de la Régente et du parti dévot, la menace de l'édification d'un État dans l'État, qu'il fallait combattre en priorité. Les guerres de religion étaient donc susceptibles de reprendre de plus belle.

Un des hommes nouveaux qui apparaît alors dans l'entourage de la Régente est l'évêque de Luçon, Armand Duplessis (1585-1642, le futur cardinal de Richelieu) : son intervention aux États généraux de 1614-1615, lui avait attiré la faveur de Marie de Médicis, qui le fait rentrer au Conseil, comme secrétaire d'État aux affaires étrangères et à la guerre (25 novembre 1616). Il est un des proches de Concini, jusqu'à l'assassinat de ce dernier (24 avril 1617). Renvoyé dès le mois de mai, il va jouer avec finesse dans les tensions qui opposent alors la régente, exilée à Blois, et son fils. Le jeune Louis XIII avait en effet peu à peu décidé de reprendre la main dans la conduite des affaires : il se préparait à évincer Concini, sur les conseils de son mentor, Charles d'Albert de Luynes (1578-1621), lorsque le maréchal a été assassiné. Ce nouveau favori va guider le jeune monarque, et rapidement gravir l'échelle des honneurs – il est fait duc et pair dès août 1619. Entretemps, Marie de Médicis avait quitté Blois (février 1619), pour s'allier avec le duc d'Épernon, autre grand « malcontent » réfugié en province après avoir été exilé de la cour : Luynes négocie la paix d'Angoulême en août, mais la guerre entre la mère et le fils reprend de plus belle l'année suivante. C'est cette fois Richelieu qui négocie la réconciliation, après la victoire des troupes royales près d'Angers (7 août 1620), ce qui lui vaut un progressif retour en grâce.

Dans la foulée, le roi et son armée descendent jusqu'au Béarn, pays profondément acquis à la Réforme où il s'agit de rétablir le culte catholique : la volonté du monarque mécontente les protestants, qui décident de se soulever, sous le commandement de Rohan et de Bouillon. La reprise des « guerres de la religion » est bien là : l'affrontement, qui commence en mai 1621, ne prend fin qu'en octobre 1628, quand La Rochelle capitule, après un siège de plus de quatorze mois (10 septembre 1627-28 octobre 1628). La guerre ne fut pas continue : une paix fut signée à Montpellier en 1622 ; puis Rohan et Soubise relancèrent les hostilités en 1625, jusqu'à la paix de La Rochelle en février 1626. Lorsque la flotte anglaise du duc de Buckingham débarqua à l'île de Ré, en juillet 1627, cela relança le conflit, et provoqua le siège de La Rochelle. Luynes étant mort devant Montauban en décembre 1621, ces guerres successives furent l'affaire de Louis XIII, et déterminèrent la progressive montée en puissance de Richelieu : fait cardinal en septembre 1622, il était de nouveau entré au Conseil du roi en avril 1624 ; il fut le principal artisan de la capitulation de La Rochelle. Ces campagnes successives ont construit l'image d'un Louis XIII en « roi de guerre », et la paix qui suivit fut l'occasion d'une propagande massive pour célébrer « Louis le Juste » – Malherbe eut alors l'occasion d'écrire une de ses dernières odes célébrant la grandeur du souverain. La paix d'Alès (28 juin 1629), qui clôt cette période, associe en effet le pardon du roi – qui conserve la tolérance religieuse – et l'abolition définitive des droits et privilèges politiques que l'Édit de Nantes avait accordé aux huguenots.

La décennie suivante marque l'affirmation du nouvel ordre royal, que l'on identifie volontiers aujourd'hui à l'idée d'absolutisme. Le fait demeure que l'État, qui est entré dans une logique de guerre, va devoir centraliser son administration et sa fiscalité pour faire face à l'urgence financière constante et augmentée d'année en année par l'engagement militaire sur le plan européen. En effet, au moment même où se jouait l'affirmation de son pouvoir personnel par Louis XIII, entre 1617 et 1619, une crise majeure éclatait, suite aux événements qui secouaient l'Empire des Habsbourg ; dans ce vaste espace politique multiconfessionnel, la tension était montée entre princes protestants et princes catholiques, à l'occasion des problèmes de succession à la tête du royaume de Bohème. Sans entrer dans le détail, il suffit de dire que la situation avait rapidement dégénéré en une opposition entre l'empereur, Ferdinand II, farouchement catholique et soutenu par l'Espagne, et les princes protestants (Union évangélique). La guerre de Trente ans (1618-1648) éclate au moment même où Louis XIII essaie d'affirmer son pouvoir en France. L'entrée en guerre du Danemark (Christian V, en 1625) et de la Suède (Gustave-Adolphe, en 1630), venus au secours des principautés protestantes de l'Empire, détermina la politique de Richelieu, qui cherchait à contrebalancer l'influence grandissante de l'Espagne.

Richelieu était en effet devenu l'homme fort du royaume : Louis XIII avait trouvé en lui l'homme capable de mener la politique de fermeté à laquelle il aspirait. La fameuse « journée des Dupes » (11 novembre 1630) où, contre toute attente, Louis XIII allait lui renouveler sa confiance, assure son triomphe face au parti dévot et à Marie de Médicis. Tout en jouant un rôle clé dans la réduction de l'opposition huguenote, il contrecarre les menées des « malcontents », en déjouant les complots successifs de Gaston d'Orléans (le frère du roi, 1608-1660), du duc de Montmorency (qui est décapité à Toulouse en octobre 1632) et de Cinq-Mars (1642). Sur le plan diplomatique, ce théologien catholique surprend les contemporains en promouvant des alliances avec les princes protestants, pour assurer le royaume contre les menées espagnoles. C'est pourquoi toute une tradition historiographique a associé Richelieu à l'idée de « raison d'État », voyant dans sa manière de mener la politique l'affirmation d'une prééminence de la politique sur les enjeux confessionnels.

Dans ce contexte, Richelieu a contribué à la mise en place d'une administration « extraordinaire », en développant notamment le corps des intendants, qui assuraient en province l'action de la monarchie aux dépens des pouvoirs « ordinaires » (parlements, villes, pouvoirs seigneuriaux). Il ouvrait ainsi la voie à l'administration monarchique centralisée, dont les efforts étaient concentrés sur le financement de la guerre – l'armée représentant alors une part croissante dans les dépenses de la monarchie. Cela explique la montée en puissance de la noblesse de robe, où s'affirme, au fil du siècle, la culture des nouvelles élites. La figure de Pierre Séguier (1588-1672), chancelier à partir de 1635, illustre cette culture. Son rôle dans le domaine des lettres a été éminent (voir ci-dessous, p. 67), et il succéda à Richelieu en tant que protecteur de l'Académie française : c'est dire combien, sous le règne du cardinal-ministre, l'activité lettrée était devenue une donnée essentielle de la vie politique.

De fait, Richelieu, créa l'Académie française (1635), et il fut lui-même le promoteur du théâtre, genre dans lequel il voyait un moyen d'illustrer les valeurs de sa politique. La compagnie des « cinq auteurs » que le cardinal réunit dès 1632 témoigne de son intérêt réel pour l'art dramatique, et l'intervention de l'Académie qu'il exigea dans la querelle du *Cid* (1637) montre sa volonté de voir la parole officielle jouer un rôle dans l'évaluation des productions littéraires du temps. Dans un même ordre d'idées, la mise en place de la *Gazette*, premier journal périodique animé Théophraste Renaudot (à partir de 1631), témoigne de cette conviction que la propagande officielle nécessitait des organes créés et régulés par le pouvoir, préparant l'avènement d'une « opinion publique » correspondant à la nouvelle sphère autonome dont l'État moderne avait besoin pour faire entendre son discours.

Il n'est pas indifférent, dans une perspective d'histoire littéraire, de rappeler que la réflexion théorique sur le théâtre fut encouragée par le cardinal ministre, lorsqu'il demanda à l'abbé d'Aubignac de rédiger sa *Pratique du théâtre*, qui, même si l'ouvrage ne parut qu'en 1657, avait été entreprise dès 1640. La tragédie – genre central de toute cette réflexion théorique – était en effet le lieu où la parole fictive pouvait mettre sous les yeux du public une illustration des enjeux politiques du temps : il suffit de relire le *Cid*, où l'on voit un grand (le Comte, père de Chimène) remettre en cause la décision du roi, et l'héroïsme d'un jeune noble (Rodrigue) restaurer l'ordre politique et sauver le royaume, pour entendre les échos de certaines valeurs qui étaient au cœur des débats du temps. Et que dire de *Cinna*, qui tourne autour d'une conjuration – phénomène dont nous avons vu la réelle actualité durant ces années – et qui illustre la grandeur d'une maîtrise de soi, qui arrive à pardonner au-delà de l'injure personnelle et du cycle de la vengeance ? La logique (nobiliaire ?) de la *vendetta* est ici dépassée par la valeur suprême du bien public et de l'intérêt de l'État, dont Auguste devient l'incarnation. Sans faire de Corneille un penseur politique, on peut remarquer que son théâtre réinvente la tragédie en enracinant sa dramaturgie dans les questionnements contemporains. On comprend dès lors l'intérêt que Richelieu pouvait porter à ce genre.

3. La Régence et le laboratoire de la Fronde (1643-1661)

Les années qui suivent la mort de Louis XIII (14 mai 1643) sont encore des années de troubles et d'incertitudes. La même année connaît un tournant majeur dans le déroulement de la guerre contre l'Espagne, quand le jeune duc d'Enghien (Louis II de Bourbon, futur prince de Condé, 1621-1686) bat l'armée espagnole à Rocroi (19 mai). Le début de la Régence d'Anne d'Autriche, qui s'accompagne de la confirmation de Mazarin (Giulio Mazarini, 1602-1661) comme principal ministre d'État, maintient le régime « extraordinaire » de l'administration du royaume mis en place depuis 1635 (date de l'entrée de la France dans la guerre de Trente ans). La pression fiscale se fait sentir de manière de plus en plus dramatique pour l'ensemble de la population. Déjà, les crises de subsistance, liées au sentiment de l'arbitraire et de la violence exercée par les intendants, avaient provoqué des révoltes entre 1636 et 1643, et la révolte des « nu pieds » en Normandie (1639) avait conduit à une répression féroce. Le sentiment de voir croître les impôts en même temps que le nombre d'offices créés par l'État, la montée en puissance des financiers (les « partisans ») à qui est déléguée la perception de l'impôt, sans oublier la justice « extraordinaire » que Richelieu avait imposée depuis 1630, tout cela donnait le sentiment à la fois au peuple des campagnes et aux magistrats des villes que leurs droits étaient bafoués, et que le royaume dérivait vers un désordre organique où les « corps » traditionnels n'étaient plus reconnus. De leur côté, les grands, qui voyaient une nouvelle noblesse acquise à prix d'argent arriver aux hautes charges de l'État qui leur étaient dévolues traditionnellement, souffraient d'un sentiment analogue de rupture avec l'ordre naturel de la société, où le mérite aristocratique était reconnu par la grâce royale. Cela prolongeait les « malcontentements » qui s'étaient affirmés depuis les premières années du règne de Louis XIII, mais allait prendre une forme encore plus radicale à la fin de la décennie.

En effet, Mazarin était désireux d'imposer à tout prix la prééminence française sur le plan international. Pour ce faire, il maintint les alliances avec les princes protestants qu'avait inaugurées Richelieu. Alors que le bras de fer continuait avec l'Espagne, le jeune vicomte de Turenne (Henri de La Tour d'Auvergne, 1611-1675) accumule les victoires en terre d'Empire, écrasant les troupes impériales à Nördlingen (3 août 1645), puis poursuivant les campagnes avec les troupes suédoises contre le duc Maximilien. La politique française triomphe lorsque le duc d'Enghien, devenu entretemps prince de Condé (26 décembre 1646), écrase l'armée espagnole à Lens, le 20 août 1648. La paix de Westphalie (24 octobre 1648) fixe donc l'équilibre européen pour de longues années, et marque le triomphe de la diplomatie mazarine, qui clôt ainsi l'œuvre de son prédécesseur.

Mais ce succès a un prix : en 1647, les recettes « extraordinaires », destinées à financer la guerre, représentent plus de 80 % des revenus de l'État. Les tensions accumulées depuis plus de dix ans vont provoquer un mouvement complexe de révoltes, la « Fronde », où les différents acteurs, peuple de Paris, membres des parlements, communautés urbaines et élites nobiliaires vont tour à tour intervenir, et s'allier, selon les circonstances, au point d'ébranler le pouvoir royal durant quatre ans, de l'été 1648 à la fin de l'automne 1652. Il serait trop long d'en raconter le détail ici : il suffit de rappeler que les acteurs principaux de cette opposition ont été les parlementaires dans un premier temps (printemps 1648 – mars 1649), puis les princes (janvier – décembre 1650) ; alors que Mazarin est sur le point de l'emporter, le ralliement de Gaston d'Orléans provoque la réunion des deux Frondes (printemps 1651) ; mais les dissensions entre les Frondeurs à propos de la conduite à tenir désorganisent le front commun dès avril, et Condé quitte Paris pour la Guyenne au moment même où le jeune roi est proclamé majeur (7 septembre 1651). La « Fronde condéenne » (septembre 1651- octobre 1653) voit le Prince se tourner vers l'Espagne qui a rouvert les hostilités contre la France : il remonte vers Paris, après avoir encouragé la révolte dans le Sud-ouest et en Provence, et parvient à y entrer (2 juillet 1652), aidé par sa cousine, la duchesse de Montpensier, qui prend la Bastille et lui ouvre les portes de la ville après avoir fait tirer sur les troupes royales. Condé fait régner la terreur à Paris, et s'aliène les bourgeois frondeurs à la suite du massacre de l'Hôtel de Ville (4 juillet). Sans solution politique, il s'enfuit à Bruxelles en octobre ; quelques jours plus tard, le roi et la cour rentrent à Paris (22 octobre). Cela marque la fin du mouvement, que clora définitivement la soumission des Bordelais en juillet 1653. Mazarin triomphe, et restaure immédiatement l'ordre administratif qui avait suscité le mouvement frondeur.

La Fronde donna lieu à une campagne inédite de publications où s'exprimaient les opinions politiques : on s'en prenait notamment au principal ministre, tenu pour responsable des abus du régime extraordinaire, d'où le nom générique de « mazarinades » donné à cette production de pamphlets. On voit ici apparaître les linéaments d'une « opinion publique » moderne. Contrairement à Richelieu, Mazarin fit l'erreur de ne pas accorder la même attention à cet aspect de la politique : il préféra réagir par des « coups » d'autorité – ces « coups d'état » dont son bibliothécaire, Gabriel Naudé (1600-1653), s'était fait le théoricien en 1639 (*Considérations politiques sur les coups d'État*) –, tout d'abord lorsqu'il fit arrêter le conseiller Broussel (26 août 1648) – ce qui provoqua immédiatement le soulèvement parisien –, puis lorsqu'il organisa le siège de Paris (6 janvier 1649), et enfin lorsqu'il fit arrêter, contre toute attente, le prince de Condé, en janvier 1650. Ce fut aussi un « coup de théâtre » qu'il se plut à orchestrer lorsqu'il libéra les princes un an plus tard, en venant en personne ouvrir la citadelle où ils étaient retenus (février 1651).

Ce mélange de théâtralité et de secret caractérise la politique de ce temps : dans un tel cadre, on comprend volontiers l'essor contemporain de la tragédie « politique » : *Nicomède*, tragédie de Corneille jouée en janvier 1651, ne pouvait pas ne pas évoquer, pour le public du temps, la figure du grand Condé (sauveur du royaume, mais envoyé en prison). Cet héroïsme est aussi triomphant dans la production romanesque : le lien entre les valeurs aristocratiques qui s'affirment dans la Fronde et celles que promeut le roman héroïque des années 1640-1650 est patent. La figure de Condé se dessine explicitement derrière celle d'Artamène, le héros éponyme du roman de Madeleine de Scudéry (*Artamène ou le Grand Cyrus*), qui paraît entre 1649 et 1653.

Il pourrait sembler paradoxal que ce moment d'exaltation héroïque fut aussi celui où triompha le style burlesque : la mode avait commencé à poindre dès le début des années 1640, mais le maître du genre qui s'imposa alors fut Paul Scarron (1610-1660). Son *Virgile travesti*, qui est un modèle du genre, est exactement contemporain de la Fronde ; Scarron est aussi l'auteur de la *Mazarinade* (janvier 1651), pamphlet dont le titre va donner son nom au genre de ces productions polémiques. La liberté formelle du burlesque, son jeu avec les codes et les normes de la haute littérature – l'épopée virgilienne –, sa promotion de la langue populaire et des archaïsmes (contre le purisme de cour), tout cela a constitué un laboratoire fécond pour la réflexion littéraire du siècle, et fait du moment politique de la Fronde aussi un moment déterminant de l'histoire littéraire. Dans son autre œuvre majeure de la même période, *Le Roman comique* (1ère partie : 1651), Scarron critique les excès idéalisant du roman héroïque pour promouvoir un romanesque à hauteur d'homme, ce qui annonce les inflexions du genre dans la seconde moitié du siècle.

Il est en effet significatif que, durant l'après Fronde, lorsque la duchesse de Montpensier est contrainte à l'exil (suite à ses exploits de frondeuse), c'est dans son entourage que va naître la vogue de la nouvelle « française », qui rompt progressivement avec le roman héroïque : son secrétaire Segrais (1624-1701) publie en effet le premier recueil de ce genre (les *Nouvelles Françaises*) en 1656. Le roman héroïque lui-même infléchit son inspiration à la même époque, comme en témoigne l'évolution de *Clélie, Histoire romaine* (1654-1660) qui clôt la production romanesque et héroïque de Madeleine de Scudéry : ce roman se fait le témoin de la sociabilité lettrée qui s'édifie désormais en léger retrait de la scène publique, témoignant d'un nouveau rapport des pratiques littéraires avec la sphère politique. La culture qui accompagne les « années Fouquet » voit en effet s'affirmer le triomphe de l'esthétique galante (voir ci-dessous, p. 79), que Paul Pellisson (1624-1693), secrétaire de Fouquet et ami de Mlle de Scudéry, défend à l'occasion de la préface qu'il donne à l'œuvre de son ami Jean-François Sarasin (1656) ; c'est dans ce milieu qu'apparaît bientôt un jeune poète promis à un brillant avenir, Jean de La Fontaine (1621-1695) : d'*Adonis* (1658, dédié à Fouquet) aux dernières *Fables* (1694), ce dernier allait recueillir l'héritage galant pour le porter au cœur même de l'esthétique « classique » des années louis-quatorziennes.

4. La culture du Roi Soleil (1661-1685)

Époque de domination économique et militaire, surtout moment-clé de l'histoire des équilibres européens où la France a joué constamment un rôle, le « siècle de Louis XIV » a pu justifier, aux yeux des contemporains eux-mêmes, la certitude qu'ils étaient en train de vivre un « siècle », au même titre que celui de Périclès dans la Grèce du ve siècle avant J.-C. ou celui d'Auguste au début de notre ère. Le règne peut se découper en deux grands moments : les deux premières décennies (1661-1685) marquent l'affirmation d'un ordre royal de plus en plus concentré sur tous les plans, dont le grand artisan fut Colbert, et qui culmine avec l'édit de Fontainebleau (17 octobre 1685), qui révoque l'édit de Nantes ; les trente dernières années (1685-1715) voient un royaume confronté à l'opposition militaire d'une coalition européenne (Ligue d'Augsbourg, 1686) qui lui impose une guerre de vingt-cinq ans (1688-1713), à peine interrompue par la paix de Ryswick (1697), avant de reprendre à propos de la succession d'Espagne (1702-1713). Cette guerre ininterrompue a des conséquences économiques (l'effort de guerre mobilisant toutes les ressources du royaume et la fermeture des frontières ruinant le commerce qui était au cœur du colbertisme économique), aggravées par des crises de subsistance à répétition entre 1692 et 1713.

Le règne avait pourtant commencé dans l'euphorie de la paix retrouvée et sa première décennie est placée sous le signe de la fête (fête des « Plaisirs de l'Île enchantée » à Versailles en mai 1664). Louis XIV a 22 ans lorsque meurt Mazarin (9 mars 1661) : après avoir restauré l'autorité de la monarchie, Mazarin a été l'artisan de la paix avec l'Espagne (traité des Pyrénées, 7 novembre 1659). Ce traité, qui fixait les frontières du royaume, préparait aussi le rapprochement des deux couronnes par le mariage entre Louis XIV et l'infante d'Espagne, Marie-Thérèse (9 juin 1660). Lors du fameux conseil du 10 mars 1661 le jeune monarque affirme vouloir gouverner seul, sans le conseil de sa mère ni des princes de sang. Écartant la haute noblesse du pouvoir, il préfère s'appuyer sur des robins compétents – qui, contrairement à la noblesse, n'auront jamais la prétention de partager le pouvoir : le plus représentatif d'entre eux est Jean-Baptiste Colbert (1619-1683), fidèle serviteur de Mazarin, avant de devenir le principal artisan de la politique administrative du royaume. La prise de pouvoir est définitivement accompli en septembre 1661, quand Louis XIV fait arrêter Fouquet, en qui il voyait un possible défenseur du parti dévot qui, depuis les premières années du règne de Louis XIII, aspirait à une politique ultra-catholique, hostile à la conception de l'État promue depuis Richelieu (voir ci-dessus, p. 20).

Les inflexions propres que donne le jeune monarque à son règne caractérisent donc bien un nouvel esprit : gouvernement personnel, souci d'instaurer une vie de Cour pour y fixer la noblesse, attention à célébrer la grandeur du règne autant par les arts et par les lettres que par la gloire des armes. Si les Académies ne sont pas une invention du règne de Louis XIV – l'Académie française a été fondée en 1635, et l'Académie de peinture et de sculpture, fondée dès 1644, est officialisée en 1648 – elles en deviennent un trait caractéristique : l'Académie des Sciences est fondée en 1666, l'Académie d'architecture en 1671, l'Académie de musique en 1672. Entretemps, en 1663, Colbert avait fondé la « Petite Académie » (*Commission des inscriptions et des médailles*, qui deviendra l'Académie des inscriptions et belles-lettres en 1716), en lui assignant pour fonction de célébrer la gloire du monarque. C'est précisément à la Petite Académie que se tient le débat sur l'excellence de la langue française, qui est un des jalons de la future querelle des Anciens et des Modernes : il s'agissait de choisir entre le latin et le français, pour savoir quelle était la langue la plus apte à célébrer la gloire du roi dans les inscriptions. L'enjeu réel de ce débat est bien la personne royale, liée de façon quasiment organique à la langue française. C'est en cela que l'Académie française, et ses émules de province, font du domaine littéraire un lieu de réussite sociale et que la reconnaissance royale donne une dignité à la fonction d'écrivain (voir ci-dessous, p. 68).

Dans cette perspective, Colbert charge, en 1662, Jean Chapelain (1595-1674) de dresser une liste des gens de lettres capables de rendre service au pouvoir et, à ce titre, d'être pensionnés par le roi. Cet aspect majeur de la politique royale est le souci, hérité de Richelieu, de lier les écrivains à la monarchie, notamment par des « gratifications ». Il est certain que l'expérience de la Fronde avait fait la preuve de l'efficacité polémique de l'écrit, montrant la nécessité de requérir, pour le pouvoir, les meilleures plumes. À cet égard, l'Académie est, pour les écrivains, ce que la Cour est pour la noblesse : un moyen de reconnaissance et de contrôle. En fait, la gratification est moins une « solde » qu'une récompense ; aucun contrat ne stipule la contrepartie qui est attendue par le pouvoir : la gratification est un don gratuit, à la façon de nos prix littéraires ou des « subventions » culturelles de notre époque.

L'idéal de mécénat repose sur la notion de *magnificence* : ce reflet matériel de la gloire du Prince, qui doit se traduire dans l'ensemble des arts plastiques, de l'architecture, et de l'urbanisme a aussi sa réalité dans le domaine littéraire. Le Prince se doit de protéger et de favoriser l'essor des Belles-Lettres pour illustrer la grandeur de son royaume. À ce titre, le Roi incarne le public idéal, l'ultime juge de la production littéraire et artistique de son temps. La faveur royale est donc avant tout la reconnaissance des talents par le premier homme de goût du pays : la protection qu'il accorde aux auteurs de théâtre ou de ballets (Molière, Lully, Benserade) est avant tout celle d'un homme jeune, danseur lui-même, et avide de fêtes pour sa jeune cour : les *Plaisirs de l'Île enchantée*, grande fête célébrée dans les tout nouveaux jardins de Versailles du 6 au 13 mai 1664, constituent le manifeste d'une *poétique* royale. Véritable metteur en scène de la vie artistique, Louis XIV entretient des relations personnelles avec ses auteurs favoris ; cela est vrai en tout cas pour les jeunes années du règne ; la mort de Molière (1673), puis la fondation de la Comédie Française (1680) seront, pour les arts du spectacle, des temps d'arrêts (même si le second semble être une consécration, il réduit en fait le nombre des troupes à Paris).

La protection du roi avait permis à Molière d'envisager la mise en scène d'un spectacle total, ce qui a culminé dans les véritables « comédies musicales » que sont *Le Bourgeois Gentilhomme* et *Le Malade imaginaire* : les ballets et les danses prolongent l'histoire et illustrent le caractère ridicule du personnage principal. En réunissant tous les arts, danse, musique, chant et pantomime, Molière annonçait l'idéal de l'opéra, qui domine la scène à partir de 1673, avec les œuvres de Lully (pour la musique) et Quinault (pour les livrets). Tout cela s'accompagne du goût pour le grand spectacle : on aime alors la « tragédie à machines », où les décors changent à vue, où les divinités descendent du ciel comme par magie. Le faste et le luxe de ces mises en scène très sophistiquées sont dus à l'art de vrais ingénieurs, comme l'italien Carlo Vigarani (1637-1713), et seule la magnificence du roi en permet la dépense. Depuis la représentation de l'*Orfeo* de Luigi Rossi (joué à Paris en 1647), Mazarin avait essayé d'implanter l'opéra en invitant Pier Francesco Cavalli, qui fit jouer un *Xerxès* (1660) et un *Hercule amoureux* (1662). Lully et Quinault tentent d'adapter le goût italien à la scène française : dans *Cadmus et Hermione*, premier opéra français, Quinault se contente d'une intrigue réduite à sa plus simple expression, qui doit permettre la succession des ballets et des divertissements. Le grand spectacle prime sur la tragédie. Si sa dramaturgie évolue ensuite dans le sens d'une plus grande sobriété (*Atys*, 1676), *Isis*, joué en 1677, marque un retour au grand spectacle, et certains critiques le considèrent comme le meilleur livret de Quinault.

Après 1680, le roi, devenu plus dévot, semble moins s'intéresser directement à la vie des arts et des lettres. L'autonomie de cette sphère littéraire et artistique sera d'autant plus sensible que, lors de la Querelle des Anciens et des Modernes, les partis en présence auront chacun à leur tête un louangeur de la personne royale, Boileau pour les premiers, Perrault pour les seconds.

5. Crises et ruptures d'une fin de règne (1685-1715)

Les trente dernières années du règne offrent une image différente : la guerre s'installe de façon permanente aux frontières du royaume, contraignant tout le dynamisme acquis dans les décennies précédentes à se tourner vers un effort unique, qui fait du financement et de l'organisation de l'armée le point central de l'administration royale, et de l'édification du royaume en citadelle une part importante des investissements « structurels » du territoire. Les questions culturelles auraient pu alors passer au second rang, et pourtant, la période fut intensément traversée par des débats littéraires et esthétiques (la querelle des Anciens et des Modernes) qui montrent à quel point les enjeux concernant cette activité sont demeurés au centre des débats à résonance politique. D'autre part, la question religieuse est de nouveau au cœur des grands débats du temps – elle n'avait, de fait, jamais quitté l'horizon des disputes intellectuelles depuis l'avènement d'Henri IV. La question du protestantisme semble réglée par la décision radicale de révoquer l'Édit de Nantes (1685), mais sourde querelle du jansénisme – qui engage plus que jamais la question de l'autonomie de l'Église de France – resurgit de plus belle, et contraint Louis XIV à exiger du Saint-Siège une condamnation formelle de cette tradition qui s'était peu à peu enracinée dans la spiritualité française, non sans incidence sur les grandes options intellectuelles des élites du royaume. Dans ce qu'on appelé la « crise de conscience européenne » (Hazard, 1938), les débats qui agitent alors le royaume de France jouent un rôle essentiel.

De fait, le règne de Louis XIV a été décisif en matière religieuse : depuis les premières années du siècle, la France est un territoire de reconquête pour le catholicisme rénové issu du Concile de Trente (1545-1563) ; le conflit avec l'Espagne a conduit les monarques à se défier du parti dévot, souvent favorable aux menées espagnoles, et les animateurs de la Compagnie du Saint-Sacrement (créée en 1630) sont souvent de haute noblesse – et, de ce fait, proches de l'opposition aristocratique à la monarchie absolue – : d'où la méfiance du jeune Louis XIV, héritée de Richelieu et de Mazarin, à l'égard de cette « cabale des dévots ». Il n'en reste pas moins que l'union fondamentale entre le trône et l'autel fait du roi de France, dont la fonction est consacrée par l'Église, le premier représentant du catholicisme. La décision de 1685 à l'égard des protestants doit être comprise comme l'accomplissement de cet impératif : elle supprime la liberté de conscience religieuse dans le royaume, renversant le pacte qui avait été conclu par le fondateur de la dynastie régnante, Henri IV. Cela va sans doute dans la logique de ce « siècle des saints » et, de ce point de vue, les années 1680-1720 marquent l'apogée de la vague tridentine, et sans doute le moment de catholicisation le plus profond que la France ait connu dans toute son histoire.

Louis XIV tente de résoudre aussi une autre crise qui a couru durant tout le siècle : celle du jansénisme. Ce terme vient du nom de l'évêque d'Ypres, Cornelius Jansen (*Jansenius* en latin, 1585-1638), auteur d'un livre consacré à la doctrine de saint Augustin (*Augustinus*, 1640), que défendit son ami Saint-Cyran (Jean Duvergier de Hauranne, 1581-1643). Les jésuites et la Sorbonne avaient en effet attaqué les thèses de Jansénius, qui s'en prenait à la doctrine de la grâce fixée par Luis de Molina (théologien jésuite espagnol affirmant que l'homme dispose d'une liberté, rendue efficace par la grâce de Dieu). Pour Jansénius, l'homme ne dispose d'aucune liberté, il est entièrement prédestiné. C'est l'opinion que partageaient les disciples de Saint-Cyran, qui décidèrent de porter le débat devant le grand public (car les jésuites étaient sur le point de triompher sur le terrain savant) en demandant à Blaise Pascal (1623-1662) de rédiger ses fameuses *Provinciales* (1656-1657) pour défendre le théologien janséniste Antoine Arnauld (1612-1694) qui était sur le point d'être condamné par la Sorbonne. Le jansénisme eut une grande influence sur la spiritualité du siècle, et notamment sur les moralistes, comme La Rochefoucauld (*Maximes*, 1665) ou Pierre Nicole (*Essais de Morale*, 1671-1678). Il contribua à la « démolition du héros » dont parle Paul Bénichou (*Morales du Grand Siècle*, 1948). Mais le jansénisme fut aussi perçu comme un danger politique (Jansénius avait écrit un *Mars Gallicus* contre le roi de France en 1635), et pour cela, il fut très tôt combattu par le pouvoir royal. Héritier de cette tradition politique, Louis XIV persista à faire disparaître le jansénisme, ce qui relança la querelle, notamment avec la question du Formulaire, dont l'Assemblée du clergé imposa la signature aux religieux et aux religieuses jansénistes (il s'agissait de reconnaître que l'*Augustinus* contenait bien 5 propositions hérétiques). La persécution commença contre le Monastère de Port-Royal : l'enjeu en devenait peu à peu l'opposition d'un clergé gallican augustinien, non seulement au catholicisme ultramontain incarné par les jésuites, mais aussi à l'avènement de l'absolutisme monarchique. Le dernier épisode du débat est donc essentiellement politique ; quelques années de répit correspondent à une période très brillante de Port-Royal (les Messieurs traduisent le Nouveau Testament en 1667, éditent des *Pensées* de Pascal en 1670), mais la fin du règne de Louis XIV voit la destruction de Port-Royal des champs (1709), puis, avec la Bulle *Unigenitus* (1713), la condamnation définitive des positions jansénistes.

Les années 1685-1715 sont donc décisives à plusieurs égards : sur le plan politique, la décision d'installer la cour à Versailles (1682) confirme la volonté du monarque de fixer la noblesse dans un système contraignant, où le service de cour devient le but ultime de la reconnaissance des élites – ce qui clôt le processus de mise au pas des grands amorcé depuis Richelieu. La mort de la reine (30 juillet 1683) va permettre au roi de conclure un mariage avec Madame de Maintenon (Françoise d'Aubigné, 1635-1719), dont l'influence morale et spirituelle est déterminante pour la fin du règne. En 1691, la mort de Louvois marque la fin du rôle prépondérant des ministres : Louis XIV avait su jouer, depuis 1661, sur la rivalité des deux familles, celles des Le Tellier et des Colbert – dont les vastes réseaux de clientèles assuraient la puissance –, et la mort de Colbert (1683) n'avait pas changé les principes de gouvernement ; avec la disparition de Louvois, le pouvoir va réellement se concentrer aux mains du roi, qui agit directement, sans la médiation de ministres, mais avec le relais d'une administration toujours plus développée. Louis XIV est pleinement l'acteur de la fin de son règne.

Une culture entre anciens et modernes

I. L'héritage de l'humanisme

Comme l'a écrit Roger Zuber au seuil de son ouvrage sur le classicisme :
« Au sens le plus large, notre "littérature classique" va de Ronsard à
Nisard : c'est-à-dire de l'adoption par la masse des écrivains français
de formes poétiques de l'Antiquité profane et de l'humanisme italien
jusqu'au refus de ce type d'imitation – refus mené, contre les combats
d'arrière-garde des tenants de la tradition, par les "têtes" du romantisme
de 1830. » (Cuénin-Zuber, 1998)

Dans un tel empan chronologique, la littérature française du
XVIIe siècle peut donc se comprendre d'abord comme le prolongement
de celle qui a été élaborée depuis la génération de La Pléiade au moins,
telle qu'elle avait été conçue par le programme ambitieux exposé par
Du Bellay dans *La Défense et illustration de la langue française* (1549). Du
Bellay, écartant les modèles littéraires de la fin du Moyen âge, recom-
mande une imitation directe des littératures latine et grecque, seule
apte à fonder une modernité littéraire française digne de rivaliser avec
cet héritage. Ronsard, avec ses *Odes* (1550), puis ses *Hymnes* (1555),
a donné l'exemple de cette haute poésie qui puise dans les ressources
de la culture grecque, à l'école de la philologie humaniste qu'il avait pu
apprendre sous la houlette du savant Jean Dorat (1508-1588).

Il est vrai que Ronsard lisait directement Homère et Hésiode ; en
réalité, la culture grecque qui fascine les lecteurs du XVIe siècle passe

par le filtre d'auteurs tardifs (de l'époque impériale romaine), comme Plutarque, les romanciers grecs ou les brillants sophistes du second siècle après J.-C. (Philostrate, Lucien) ; de surcroît, ces auteurs avaient eu les honneurs de traductions qui faisaient date dans l'histoire de la prose française : Jacques Amyot avait traduit Plutarque (*Vies des Hommes illustres, Œuvres morales*) et Longus (*Daphnis et Chloé*, ancêtre de toutes les pastorales). Ces traductions seront couramment rééditées au XVIIᵉ siècle ; cette présence incontestable de la culture grecque est confirmée par l'œuvre de Racine, helléniste accompli qui a lu et a annoté de nombreux auteurs grecs, avant de s'en inspirer dans ses tragédies les plus originales (*Iphigénie* et *Phèdre*, hantées par le souvenir d'Euripide).

Avec la connaissance de la littérature grecque dont il édite et commente les textes originaux, l'humanisme a légué une tradition critique savante, qui sera la base des théories littéraires dont débattra tout le XVIIᵉ siècle. La Renaissance a en effet redécouvert la *Poétique* d'Aristote, dans laquelle les poètes et les critiques vont puiser toute une doctrine du théâtre, et au-delà, de la fiction poétique : ce texte est déjà largement traduit et commenté par les humanistes italiens (Robortello, Castelvetro). Une grande synthèse aristotélicienne avait été proposée dans la seconde moitié du seizième siècle par la *Poétique* de Jules-César Scaliger (1561), somme rédigée en latin à laquelle la doctrine classique doit énormément. Au seuil du XVIIᵉ siècle, le savant hollandais Daniel Heinsius bâtira sa propre théorie de la tragédie (*La Constitution de la tragédie*, 1611). Tous ces textes seront le point de départ de la réflexion critique qui caractérise la pensée de la littérature du XVIIᵉ siècle, de Jean Chapelain à Boileau. Parallèlement à la *Poétique*, Aristote a légué une *Rhétorique* : avec le corpus latin (Cicéron, Quintilien), elle constitue la base théorique de toute culture lettrée, aussi bien dans la pratique du discours en général que dans celle des genres plus proprement « littéraires ».

Cela étant, dans le rapport que le XVIIᵉ siècle français entretient avec l'antiquité classique, le domaine latin s'impose avec plus d'évidence : il est la clé de toute éducation lettrée depuis la renaissance des Belles-Lettres. Au cœur de cet héritage, la rhétorique, systématisée par Cicéron et Quintilien, est à l'œuvre dans la moindre épigramme, à plus forte raison dans les puissantes tirades argumentées de Corneille. La poétique enjouée ou satirique d'Horace se retrouve sous la plume de Boileau, mais aussi de Molière ou de La Fontaine ; son *Art poétique* est souvent paraphrasé, et pas seulement par Boileau ; ses *Épîtres* sont un modèle de littérature mondaine. Le registre subtil de la pastorale et de l'idylle ne se comprend pas sans la lecture des *Bucoliques* de Virgile, et l'*Andromaque* de Racine sort tout droit d'un épisode de l'*Énéide*. Ce poème épique demeure en effet, dans toute l'Europe de la première modernité, le modèle indépassable de la grande poésie narrative : non seulement il inspire les tentatives épiques de poètes modernes (Chapelain, Scudéry, Le Moyne), mais – notamment à travers l'influence qu'il a eu sur le *romanzo* italien – il informe en profondeur le genre du roman héroïque des années 1630-1650.

L'art de la lettre a longtemps été rattaché à Cicéron et à Sénèque (*Épîtres à Lucilius*), mais il est aussi utile de connaître l'un et l'autre pour percevoir la portée des débats anti-stoïciens entrepris par l'augustinisme (Pascal, La Rochefoucauld, Nicole) : les principaux arguments se trouvent dans Cicéron (témoin du premier stoïcisme, dont il ne reste que des fragments) et dans Sénèque, qui est « démasqué » dans les *Maximes* de la Rochefoucauld, si l'on en croit le célèbre frontispice de cet ouvrage. Les ouvrages philosophiques de Cicéron (*Tusculanes, Académiques, De la Nature des Dieux*) ont à la fois un rôle déterminant dans la réception des philosophies hellénistiques et dans la prose d'idées, notamment par sa pratique brillante genre du dialogue, qui avait déjà été imitée par les humanistes italiens de la Renaissance. Ovide, enfin, est sans doute le poète latin le plus lu du siècle : les *Métamorphoses* offrent en effet un véritable manuel de la « Fable » (mythologie) antique, et les éditions illustrées qu'on en a faites ont peu à peu constitué tout un trésor iconographique que l'on retrouve aussi bien dans le décor des hôtels particuliers que dans les jardins de Versailles. Au fil du siècle, se détachant de la tradition mythographique savante qui privilégiait les *Métamorphoses*, le sourire licencieux de l'*Art d'aimer* et des *Amours* s'impose peu à peu : il est vrai qu'il correspond assez bien au goût mondain et galant, et les *Héroïdes* offrent un modèle incomparable de lettres amoureuses.

Même le poète exilé des *Tristes* et des *Pontiques* n'était pas étranger aux sujets du Roi-Soleil, qui purent retrouver les mêmes accents chez certains de leurs contemporains (Racine notamment). Plaute, et surtout Térence – auquel La Fontaine a comparé Molière – sont les modèles incontestés de la comédie ; Térence a eu une grande importance pour l'humanisme, et la tradition grecque à laquelle il se rattache renvoie directement à l'héritage d'Aristote et de Théophraste, dont les *Caractères* auraient influencé le dramaturge grec. Térence est donc le modèle de la comédie de caractère, qui « corrige les mœurs par le rire » ; conforme aux attentes de l'*Art poétique* d'Horace, il sait plaire et instruire à la fois.

Cette littérature, dont tout homme cultivé connaît et a pratiqué les thèmes et les formes, est commune aux auteurs et à leur public. Il convient en effet de rappeler qu'avant les innovations pédagogiques de Port-Royal, dans la seconde moitié du siècle, on n'enseigne pas la littérature en français, et encore moins la littérature française elle-même. Le fait littéraire (ce qu'on appelle en latin la *res literaria*) est découvert et appris en latin dans les collèges des jésuites, et dans une moindre mesure chez les oratoriens ou dans les Académies protestantes (comme à Saumur). Selon la *Méthode des études* (*Ratio studiorum*, 1599) qui organise le cursus scolaire des jésuites, on aborde la culture lettrée exclusivement en latin, en apprenant à écrire des vers latins inspirés de Virgile ou d'Horace et à composer des petites narrations en prose latine à partir de César ou de Cicéron. L'inspirateur principal de tout ce projet pédagogique est Quintilien : son *Institution oratoire* est le socle fondamental de tous ces apprentissages, centrés sur la rhétorique. Cela explique la place centrale des belles lettres dans la formation de l'homme, qui ne sera pas remise en cause avant la fin de l'Ancien Régime.

Cette importance culturelle du latin dans la formation intellectuelle de base explique la longue survie de ce continent un peu oublié par l'histoire littéraire qu'est la littérature néo-latine, qui est loin d'être négligeable durant tout le siècle. Grands modèles pour les hommes de la Renaissance, Cicéron et Virgile le demeurent pour tout un pan de la culture européenne du XVIIᵉ siècle. Les débats sur l'imitation de Cicéron qui avaient animé la critique humaniste se poursuivent durant toute la période, et les grandes options critiques, même transposées dans le domaine vernaculaire (français, italien ou espagnol), demeureront les mêmes que celles qu'ont formulées les théoriciens néo-latins du xvie siècle : par exemple, l'opposition entre deux grands styles, l'asianisme (style ample et figuré, adorant les images nombreuses et les pointes ingénieuses) et l'atticisme (style plus sobre, dense et clair, comme celui des orateurs grecs d'Athènes aux ve et ive siècles av. J.-C.) vient directement de Cicéron (*Brutus*) et subsiste dans les débats rhétoriques pendant tout le xviie siècle (Fumaroli, 1980).

Le caractère scolaire de la formation littéraire ne suffirait pourtant pas à expliquer l'importance attachée au modèle latin. Il convient en effet de rappeler que les latins ne sont pas seulement des modèles au titre de l'invention (source de thèmes) ou de l'élocution (imitation du style), mais qu'ils offrent aussi une véritable conception de la littérature, ou mieux encore de la culture littéraire : celle-ci, héritée de la *paideia* (éducation) grecque, est fondée sur l'imitation. Toute création littéraire est avant tout, pour Térence, Virgile ou Cicéron, imitation intelligente de modèles antérieurs (grecs en l'occurrence). L'humanisme, en héritant de cette conception exigeante de l' « imitation adulte » (*imitatio adulta*), l'a transmise directement aux générations conquérantes du siècle suivant. Apprise en latin dès le niveau scolaire, l'innutrition continue à jouer dans la création littéraire en français d'un Corneille, d'un Racine ou d'un La Fontaine.

Dans une telle perspective, le regard que ces auteurs portent sur les littératures antiques cherche surtout à y saisir et à imiter ce qui fait de ces modèles un moment d'apogée par rapport à une plus longue histoire : il y a bien une conscience des « siècles » littéraires qui joue ici. L'Athènes du ve siècle, avec sa floraison de chefs-d'œuvre (Eschyle, Sophocle, Euripide, Thucydide), la Rome d'Auguste, avec son âge classique (Virgile, Horace, Tite Live) sont autant de phares sur lesquels l'écrivain moderne peut tourner les yeux pour trouver sa voie. Cela s'accompagne de la conviction que la langue grecque ou latine avait, elle aussi, atteint à ces époques un point d'équilibre et de maturité indépassable, qui ne peut qu'être suivi d'une décadence. Ce schéma gouvernera la notion de « classicisme » qui se dégagera peu à peu de la littérature française du XVIIᵉ siècle (voir ci-dessous, p. 101).

2. Les leçons de l'Italie et la fascination pour l'Espagne

Il serait toutefois simpliste de ne voir l'élaboration de la littérature française du XVIIᵉ siècle que dans le cadre d'un processus de confrontation avec la culture antique. Il est évident que la rivalité avec le dynamisme d'autres littératures vernaculaires, qui avaient déjà posé le problème du rapport aux anciens, et qu'elles avaient résolu à leur manière, est un des enjeux majeurs auquel est confrontée la jeune littérature française. Dès la fin du XVᵉ siècle, l'Italie fut pour la France à la fois l'initiatrice du retour aux Belles Lettres antiques et un modèle de littérature moderne. Après avoir imité Pétrarque en lui empruntant le genre du sonnet pour la poésie amoureuse de *L'Olive* (1549), Du Bellay s'était inspiré des ouvrages italiens qui défendaient la langue et la littérature italiennes pour écrire sa *Défense et illustration de la langue française*. Au-delà des questions proprement littéraires, l'idéal civilisateur des cours italiennes, qui prendra en France la figure de l'« honnête homme », est directement inspiré du *Libro del Cortegiano* de Baldassarre Castiglione (1528), dialogue traduit en français dès 1537 et constamment réédité (au moins vingt-deux éditions jusqu'en 1690) ; de même, avant d'être un signe distinctif de la culture française, l'idéal de la conversation, que mettait déjà en scène Castiglione, avait trouvé des promoteurs hors pair avec Giovanni Della Casa (*Galateo*, 1558) et Stefano Guazzo (*Civil Consersazione*, 1574). Enfin, deux grandes œuvres majeures de la littérature italienne du XVIᵉ siècle vont hanter les esprits et configurer les grands thèmes de l'imaginaire de tout le XVIIᵉ siècle français : le *Roland furieux* de l'Arioste et la *Jérusalem délivrée* du Tasse.

Lodovico Ariosto (1474-1533) a publié *Orlando furioso* de 1516 à 1532 : c'est une épopée chevaleresque en quarante chants dont l'action se déroule durant le siège de Paris par les Sarrasins ; Roland, le neveu de Charlemagne, est, comme tous les chevaliers chrétiens et sarrasins, amoureux de la belle Angélique. Celle-ci s'enfuit et épouse le guerrier sarrasin Médor, ce qui rend Roland fou de douleur. La richesse narrative de l'ensemble, la complexité des intrigues ont eu une influence décisive sur les tentatives épiques des poètes français du XVIIe siècle, mais aussi (et surtout) sur l'inspiration romanesque et théâtrale, avant de nourrir les intrigues des opéras de Lully. Dans un siècle longtemps dévoué à l'imagination, la grandeur épique d'Arioste, peu à peu contestée, a marqué en profondeur l'inspiration lyrique et galante : même à l'époque où a triomphé la tragédie classique à la manière de Racine, la féérie inspirée de l'Arioste demeure présente sur scène grâce à l'opéra (*Roland*, de Lully et Quinault, 1685).

La *Jérusalem délivrée* de Torquato Tasso (1544-1595) est un poème épique (ce que les Italiens nomment alors *romanzo*, forme narrative composée en strophes versifiées et découpée en chants) qui raconte la reconquête de Jérusalem lors de la première croisade. Publié entre 1570 et 1575, il est traduit en français à partir de 1593. Cette épopée offre l'occasion de développer de nombreuses histoires parallèles, celle du valeureux Godefroy, celle du passionné Renaud (prisonnier de la magicienne Armide), les amours tragiques du chevalier chrétien Tancrède et de la guerrière sarrasine Clorinde, mêlant à la fois les thèmes de l'héroïsme, de la nature et de l'amour, le tout dans un climat de religiosité profonde, sur fond de prodiges et de magie. C'est à cette réussite poétique et narrative magistrale que rêveront les poètes comme le Père Le Moyne (*Saint-Louis*, 1653), Jean Chapelain (*La Pucelle*, 1656), ou Desmarets de Saint-Sorlin (*Clovis*, 1657), lorsqu'ils tenteront de célébrer à leur tour les exploits des héros de l'épopée nationale. De surcroît, les *Discours* du Tasse sur l'art poétique (1587) et sur le poème héroïque (1594), suscités par les débats nés en Italie de la comparaison entre la *Jérusalem* et le *Roland furieux*, nourriront à leur tour la réflexion des auteurs et critiques français sur l'épopée, et plus encore sur le roman héroïque, comme on peut le voir chez Georges de Scudéry (Préface d'*Ibrahim*, 1641).

Le Tasse est aussi l'auteur d'un drame pastoral, l'*Aminta* (1573) : cette pièce, avec le *Pastor fido* de Guarini (1590) inaugure la vogue du genre pastoral sur le théâtre, qui se traduira en France par la mode des bergeries et de la pastorale dramatique (*Les Bergeries* de Racan, la *Sylvanire* de Mairet). Il est vrai que Le Tasse s'inspirait ici de son aîné, Jacopo Sannazaro (1458-1530), qui a écrit le premier roman pastoral, l'*Arcadia* (1485). Il suffit d'ouvrir l'*Astrée* d'Honoré d'Urfé (1607) pour comprendre la profondeur de l'influence de cette veine pastorale, située aux marges du monde chevaleresque, et faisant de l'amour – dans la perspective platonicienne que lui avait conférée la tradition humaniste italienne – la principale activité humaine.

Loin de se limiter à ces seuls auteurs, l'influence italienne va se prolonger, au moins dans le premier tiers du XVIIe siècle, sous le signe de la modernité poétique d'un Giambattista Marino (1569-1625), l'un des plus grands poètes italiens de sa génération : c'est en effet à Paris qu'il publie (en italien) son grand poème héroïque, l'*Adone*, en 1623, avec une préface (en français) du futur académicien Jean Chapelain (1595-1674). L'importance des débats autour de cette œuvre eut un rôle immense dans l'élaboration d'une poétique moderne, et Saint-Amant, comme La Fontaine devaient s'en souvenir. Ces derniers connaissaient d'ailleurs bien une autre tradition italienne, le burlesque, qui inspirera Saint-Amant dès 1643 dans *La Rome ridicule*, avant de triompher sous la plume de Scarron (*Virgile travesti*, 1648) ; même en plein âge « classique », la veine héroï-comique du *Lutrin* de Boileau doit beaucoup à la *Secchia rapita* (*Le Seau enlevé*, 1617) de Tassoni (1565-1635). Le goût français pour l'Italie, même s'il est parfois critiqué, est donc constant pendant tout le siècle : l'opéra, mis en musique par l'italien Lully, n'en sera que l'aboutissement le plus spectaculaire en plein règne de Louis XIV.

Concernant l'Espagne, la situation n'est pas du même ordre. Une bonne partie du siècle, nous l'avons vu, le royaume hispanique a dominé l'Europe militairement et politiquement, au moins jusqu'à l'avènement de Louis XIV ; de surcroît, la famille monarchique espagnole a donné deux reines à la France, qui succèdent aux reines venues d'Italie ; enfin l'importance spirituelle des rois catholiques, principaux soutiens de la Contre-Réforme, suscite en France la réforme de nombreux ordres religieux, comme le Carmel, et la diffusion d'une importante littérature de piété (Louis de Grenade, Thérèse d'Avila). De ce point de vue, l'influence littéraire et artistique n'est qu'un épiphénomène d'une présence très large (Cioranescu, 1983). Dans le domaine littéraire, elle s'est exercée, au XVIIᵉ siècle, sur des genres majeurs de la littérature moderne en train de s'affirmer : le roman et le théâtre.

Le roman espagnol est d'une telle richesse que déterminer la portée exacte de son influence est quasiment impossible ; seules quelques lignes de crête peuvent être ici retenues pour donner une idée approximative de cet impact. La *Diane* de Montemayor (1550) est une de ces œuvres ; à la suite de l'*Arcadia* de Sannazar, ce roman pastoral implante en Europe le goût pour une littérature amoureuse d'inspiration néo-platonicienne. D'Urfé s'en souvient dans l'*Astrée*, mais aussi Madame de Lafayette dans *Zaïde* (1670). La veine chevaleresque doit sans doute autant, sinon plus, à l'*Amadis de Gaule* espagnol traduit en France à partir de 1540 qu'aux romans médiévaux de tradition française : les romans héroïques s'en inspirent directement, et leur vogue est loin d'être éteinte à l'époque classique comme en témoigne encore Boileau dans son *Dialogue des héros de roman*.

De fait, la parodie même du roman héroïque et chevaleresque a pu être inspirée par un des chefs-d'œuvre de la littérature espagnole : le *Don Quichotte* de Cervantès (première partie, 1605, deuxième partie, 1615) est traduit partiellement dès 1608 ; César Oudin donne une traduction complète de la première partie en 1614, et François de Rosset de la seconde en 1618. Sorel s'en inspire dans le *Berger extravagant* (1627), et la critique du roman héroïque qu'il contient est reprise par Scarron (*Roman comique*, 1651-1657), qui a rêvé toute sa vie de traduire le *Quichotte* ; à la fin du siècle, dans le *Parallèle des anciens et des modernes* (t. 2, 1692), Charles Perrault crédite les modernes de l'invention de ce genre sans modèle dans l'antiquité en citant comme fondateur le chef-d'œuvre de Cervantès.

En insérant des « nouvelles espagnoles » directement traduites du castillan dans son *Roman comique*, Scarron atteste la mode de ce genre de récit court, sans doute le plus copié de la littérature espagnole du Siècle d'or, même s'il a de grands antécédents français comme *L'Heptaméron* de Marguerite de Navarre ou de vénérables modèles italiens (Boccace). Avec ses *Nouvelles exemplaires*, immédiatement connues et imitées, Cervantès rejoint d'ailleurs la cohorte des nouvellistes espagnols qui vont représenter, dès la fin des années 1640, un idéal de narration réaliste, dont s'inspirera Scarron (*Nouvelles tragi-comiques*, 1655-1663). Il faudrait aussi insister sur l'influence que les nouvelles espagnoles ont eue sur le théâtre français : Quinault s'inspire de Cervantès pour écrire sa comédie *Les Rivales* (1661), et l'*École des femmes* de Molière est directement inspiré d'une des nouvelles traduites par Scarron. Enfin, la veine picaresque, dont Chapelain traduit une des œuvres phares dès 1620 (*Guzman de Alfarache*, de Mateo Aleman), court discrètement tout le long du siècle, de Sorel (*Histoire comique de Francion*, 1622) à Lesage (*Gil Blas*, publié à partir de 1715), en passant par Tristan l'Hermite (*Le Page disgrâcié*, 1643). Son influence trace une des voies majeures qui mène au roman réaliste.

Autant que le roman, le théâtre du Siècle d'or a fourni aux dramaturges français nombre de canevas et d'intrigues, même lorsqu'ils affirment s'inspirer des théoriciens italiens ou des modèles antiques. Il faut reconnaître que la production espagnole, illustrée par Lope de Vega (1562-1635), Calderón (1600-1681) ou Tirso de Molina (1583-1648), représente des milliers de pièces de théâtre : hommes de spectacle avant tout, ceux-ci ne craignent pas de développer, reprendre, ou adapter l'intrigue aux acteurs disponibles. Invention, souplesse et surprise sont les maîtres-mots de cette dramaturgie. Toute la distribution d'une pièce comique peut trouver des sources dans les *comedias* espagnoles : l'entremetteuse vient tout droit de la *Célestine* de Fernando de Rojas, le *gracioso*, valet de la comédie espagnole, inspire directement les différents Sganarelle mis en scène par Molière, quant à Matamore, le soldat fanfaron, il s'impose dès l'*Illusion comique* (Corneille, 1636) mais on le retrouve encore dans *Dom Japhet d'Arménie* de Scarron (1653), auquel les « imaginaires » de Molière doivent beaucoup.

Pierre Corneille a sans doute été l'un des dramaturges français les plus influencés par l'Espagne (Picciola, 2002) ; ses comédies, mais aussi sa première grande tragi-comédie, *Le Cid*, doivent énormément à l'inspiration espagnole. *Le Menteur* (1644) est inspiré ouvertement de *La vérité suspecte* de Ruiz de Alarcon, et *La Suite du Menteur* vient directement d'une pièce de Lope de Vega. Même certaines de ses tragédies, comme *Théodore*, empruntent à des formes d'origine espagnole (la *comedia dos santos*, dans ce cas). À la fin du règne de Louis XIV, à l'occasion de la guerre de succession d'Espagne, qui installe la dynastie des Bourbons à la tête du royaume castillan, la mode espagnole sera de nouveau à l'ordre du jour, comme en témoigne l'œuvre de Lesage (1668-1747), imitateur du picaresque et traducteur d'un corpus important de *comedias* classiques du Siècle d'or.

3. La question de la langue française et la fondation de l'Académie

Depuis la *Défense* de Du Bellay, la question de la langue française est étroitement liée à la pensée de la littérature : il s'agit en effet de définir le français par rapport à la langue mère, le latin, qu'ont illustré les grands « classiques » de l'âge d'or romain, Cicéron, Virgile et Horace. On a déjà rappelé qu'aux XVIe et XVIIe siècles on apprenait la littérature en latin, au collège. Le passage à la langue maternelle ne va donc pas de soi, surtout dans les domaines savants (théologie, droit, médecine) : c'est une des raisons pour lesquelles Descartes fera sensation avec le *Discours de la Méthode* (1637), ouvrage philosophique écrit en français, c'est-à-dire visant un large public au-delà des seuls spécialistes. Les premières générations du XVIIe siècle, avec Malherbe (1555-1628) pour la poésie, Guez de Balzac et Vaugelas pour la prose, vont donc s'efforcer de rendre le français aussi souple et aussi riche que son modèle, le latin.

Un des maîtres de cette génération, après le poète Malherbe, est Jean-Louis Guez de Balzac (1597-1654) : cet artisan de la prose française, qui venait de triompher dans l'art épistolaire (*Premières Lettres*, 1624), affirmait la nécessité de « débrouiller la masse », c'est-à-dire de rendre la prose claire, facilement compréhensible et agréable à lire. La pureté et la clarté qui sont les traits les plus souvent évoqués lorsqu'on parle de langue française classique sont donc avant tout des critères linguistiques. Cet effort grammatical, tant pour la syntaxe que pour le lexique, s'appuie sur une norme essentielle : le « bon usage ». Cette notion vient du fait que toute la réflexion de cette époque se joue dans l'interaction entre des grammairiens mondains, comme Vaugelas, et la bonne société qui se passionne pour les subtilités de la langue. Claude Favre de Vaugelas (1585-1650), dans ses *Remarques sur la langue française* (1647), fonde en effet la définition du bon usage sur « la façon de parler de la plus saine partie de la cour », « conformément, » ajoute-il, « à la façon d'écrire de la plus saine partie des Auteurs du temps ». Les locuteurs exemplaires sont donc les hommes et les femmes qui pratiquent, à l'oral, le français tel qu'il se parle à la cour et dans les milieux qui la fréquentent. La référence à l'écrit n'est, en quelque sorte, que la garantie de cette pratique orale, dont les bons auteurs fixent les énoncés par écrit.

Avec ses *Remarques*, Vaugelas crée la tradition de ces grammairiens mondains qu'il est convenu d'appeler les « remarqueurs », dont l'activité s'intensifie durant les années 1660-1700 : ainsi, un savant comme Gilles Ménage (1613-1692) ou un pédagogue jésuite comme Dominique Bouhours (1628-1702) poursuivent ce travail sur la langue française. Le jésuite Bouhours, après avoir enseigné la rhétorique classique (latine) durant plusieurs décennies au Collège de Clermont (futur collège Louis-le-Grand), est devenu sans doute un des artisans les plus remarquables de la réflexion grammaticale mondaine de l'âge classique. Ses fameux *Entretiens d'Ariste et d'Eugène* (1671) fixent une image idéale de la langue française, fondée sur la clarté et la transparence, en affirmant notamment que le « beau langage » peut être comparé à une « eau pure et nette qui n'a point de goût ». Plus encore, son ouvrage sur *La Manière de bien penser dans les ouvrages d'esprit* (1687) témoigne de la proximité que la langue française sait entretenir entre la justesse de l'expression et la justesse de la pensée – « bien penser » renvoyant ici, aussi bien à ce qui est conçu mentalement qu'à la manière de l'exprimer.

Dans la bonne société à laquelle tous ces « remarqueurs » font référence, il est évident qu'une des instances décisives pour promouvoir la justesse de la langue est la parole féminine. Le courant du milieu du siècle qui a été baptisé du nom de « préciosité » a parfois contribué à donner de l'autorité féminine en matière de langue et de sentiment une image facile à caricaturer. On songe une nouvelle fois à Molière, dont *Les Précieuses ridicules* (1659) ont marqué le premier grand succès auprès du public parisien – ce qui sans doute donné au terme de « précieuse » une vogue passagère au début des années 1660. Mais nous comprenons mieux aujourd'hui, grâce aux travaux des historiens de la langue française, combien ce mouvement, animé essentiellement par des femmes qui étaient à la fois attachées à la littérature et à une certaine forme d'émancipation féminine, a joué un rôle important dans l'élaboration de la langue française « classique » (Lathuillière, 1966). Leur souci de nuance dans l'expression (les « tours », comme on disait alors), leur goût de la néologie, l'attention qu'elles portent à la prononciation, tout cela a laissé des traces profondes dans la langue française : le « bon usage » qu'elles ont contribué à définir est celui que l'on trouve sous la plume de Racine et dans la phrase analytique des moralistes (La Rochefoucauld) ou des romanciers (Madame de Lafayette).

Il suffit de songer à la part que les femmes représentent dans le public mondain que vise la littérature en langue française pour pressentir à quel point leur jugement en matière de langue et de style pouvait avoir un effet prescriptif chez les auteurs qui recherchaient les suffrages de ce public. Depuis les *Provinciales*, où Pascal visait à se rendre intelligible « aux femmes mêmes » (*Lettre III*), jusqu'à la querelle qui opposa Boileau et Perrault au sujet de la *Satire x*, sur les femmes (1694), on constate que le rôle de l'instance féminine a été déterminant dans les orientations d'une littérature proprement française en train de s'affirmer.

Une des conséquences majeures du « purisme » préconisé par Malherbe et Vaugelas fut la réduction du lexique : on condamne en effet les termes techniques, populaires, et tout le vocabulaire qui concerne les métiers ou les savoirs précis. Cela va au rebours de la richesse lexicale que prônait encore Ronsard (notamment dans la préface de son épopée, *La Franciade*, 1572). Seuls les savants, considérés par les mondains comme des « pédants » (c'est-à-dire, au sens propre, des maîtres d'école), continueront à goûter la langue française dans toute la richesse et la saveur que défendaient encore les auteurs du siècle précédent. Les dictionnaires du temps témoignent de ces tensions : le dictionnaire de l'Académie (qui ne paraît qu'en 1694) fixe l'usage de la langue parlée et écrite selon les normes définies par Vaugelas, alors que celui de Furetière (paru en Hollande dès 1690) est « universel » et s'intéresse à tous les mots, même les plus techniques. Quant au dictionnaire de Richelet, le premier à paraître en 1680, il a l'originalité de s'appuyer sur des citations d'auteurs français, attachant ainsi le destin de la langue à celui de la littérature.

L'Académie française avait en effet en charge la politique de la langue française depuis sa fondation, en 1635 : elle était chargée de composer une grammaire, un dictionnaire, une poétique et une rhétorique de la langue française, pour rendre capable celle-ci de traiter tous les sujets. À l'origine constituée d'un groupe d'amis qui se réunissait de façon informelle, depuis 1629, chez Valentin Conrart, pour débattre des questions littéraires à la mode, cette « compagnie » dut à l'arrivée de Boisrobert (1589-1662), protégé de Richelieu, sa transformation en corps constitué : le souci du cardinal était de prendre appui sur ce groupe d'écrivains afin de mettre la défense et illustration de la langue et de la littérature françaises au service de la monarchie (voir ci-dessus, p. 20). C'était mettre le goût moderne (Conrart se vantait de ne pas connaître le latin) au service du mécénat d'État. Une vision un peu simpliste de l'Académie française, devenue aujourd'hui une institution qui couronne les carrières d'hommes accomplis, ne doit pas faire oublier que Valentin Conrart et ses amis sont de jeunes gens, lorsqu'ils se réunissent pour la première fois en 1629 : Conrart est né en 1603, Chapelain en 1595. Ce sont ici les forces vives d'une littérature jeune et ambitieuse, celle qui prolonge l'effort de Malherbe, en matière de purisme notamment. Le groupe initial est donc bien du côté de la « modernité » littéraire du temps. L'Académie française joue un rôle déterminant dans le champ littéraire du XVIIᵉ siècle (Merlin, 2001) : lors de la querelle du *Cid* (1637), Richelieu lui demande de trancher le débat, et c'est en son sein qu'éclate, à la fin du siècle, la fameuse querelle des Anciens et des Modernes.

4. Une longue querelle, de Guez de Balzac à Charles Perrault.

On voit en effet que la tension qui parcourt toute la culture lettrée du XVIIᵉ siècle naît de cette opposition globale et constante entre la fascination pour l'héritage de l'Antiquité et les tentations de la modernité, en phase avec l'affirmation d'une culture proprement française. De ce point de vue, la querelle des Anciens et des Modernes ne se réduit pas aux épisodes des années 1687-1715, où se sont affrontés Perrault et Boileau (1687-1694), puis Houdar de La Motte et Anne Dacier (1713-1715). On peut voir au contraire ces deux moments comme l'aboutissement d'une longue querelle, surtout si on replace le débat à l'échelle européenne, dans une perspective qui va des origines humanistes aux débats des Lumières. Ce point de vue explique pourquoi le champ littéraire du XVIIᵉ siècle français est profondément « éristique » (Zuber, 1993) : de la querelle des premières *Lettres* de Guez de Balzac (1625-1627) à la querelle d'*Alceste* (1674), en passant par celle du *Cid* (1637) ou celle de *L'École des femmes* (1663), la pensée de la littérature s'est constamment inscrite dans un cadre où l'exigence de doctrine naît de la nécessité de répondre à des attaques, de défendre des œuvres ou de justifier des choix. Cela signifie notamment qu'il est hasardeux d'envisager une « doctrine » classique sans tenir compte du caractère éristique des arguments qui la fondent : comment en effet comprendre le débat sur les règles si on oublie qu'il né dans un contexte où les « nouveaux doctes » (selon l'expression d'Alain Viala) voulaient affirmer leur légitimité dans un domaine critique où régnaient jusque-là exclusivement, ou presque, les « doctes » de la *res publica literaria* latine.

En 1624, à l'occasion de ses premières *Lettres*, Guez de Balzac, vise à s'affranchir du joug un peu trop pesant de l'imitation scolaire léguée par l'humanisme ; dans une lettre à Boisrobert parue dans ce fameux recueil, il déclarait avec éclat son ambition moderne. En choisissant le genre épistolaire, Balzac se situait dans la lignée des grands épistoliers humanistes, Érasme ou Juste Lipse, mais son ambition était de faire œuvre en français, en promouvant une prose d'art où le moi se dévoile avec élégance, grâce au jeu de l'allusion et à l'enjouement de l'urbanité. Tout en imitant des modèles avoués, Balzac prétendait à la nouveauté, ce qui provoqua des réactions critiques très vives : ses détracteurs l'accusèrent de plagiat. Assisté de son ami François Ogier (~ 1597-1670), Balzac se défendit dans une *Apologie* (1627) où il expliquait les principes de son imitation, fondée, selon son expression, sur le « génie » des « esprits héroïques et relevés ». Il s'agit, expliquait-il, plutôt d'une « émulation », « au moyen de laquelle évitant le blâme du vol, et la servitude de l'imitation, un rare esprit s'élève au-dessus des autres, et surmonte quelquefois son propre exemple. » L'exemple qu'il allègue est celui de Virgile, qui a surpassé Homère qu'il avait commencé par imiter : cet argument est un « lieu » central de la topique attachée à la querelle des Anciens et des Modernes qui court du XVIᵉ siècle aux Lumières.

Le conflit entre les Anciens et les Modernes se déplaça ensuite vers le théâtre : le même François Ogier entreprit de défendre la modernité d'une tragi-comédie, *Tyr et Sidon* de Jean de Schélandre (1628), qui était la récriture d'une tragédie régulière (écrite en 1608) en une tragi-comédie irrégulière. Sa préface répondait à la profession de foi « antimoderne » que le grand dramaturge Alexandre Hardy (~ 1570-~ 1632) venait de faire paraître en préface du dernier volume de son *Théâtre*. Hardy défendait la tradition dramatique de la Pléiade en répliquant à la fois aux attaques des puristes malherbiens qui critiquaient sa langue poétique, jugée archaïque, et aux succès des tragi-comédies proposées par de jeunes poètes qui se réclamaient de l'école moderne. En réponse, Ogier entreprit de montrer comment la fidélité stricte aux règles que l'on dégageait de la lecture des tragiques grecs et latins empêchait les dramaturges de bien imiter la réalité, ce qui trahissait le vrai but du théâtre. En effet, pour les malherbiens, la supériorité de la tragi-comédie tenait au fait qu'elle se présentait comme une *imitation*, non pas des œuvres des Anciens, mais de la réalité elle-même, dans toute sa complexité.

Deux ans plus tard, un autre malherbien, Antoine Godeau (1605-1672), qui venait d'écrire un *Discours sur les œuvres de Malherbe* (1629), attaquait la règle des vingt-quatre heures, qui passait alors pour la première de toutes les règles dramatiques. Jean Chapelain, autre disciple de Malherbe et ami de Balzac, prit la plume pour répondre à Godeau en faisant circuler dans Paris une *Lettre sur la règle des vingt-quatre heures*. À partir d'Aristote, Chapelain cherchait à justifier rationnellement les règles des Anciens – et non en invoquant l'autorité et la tradition –, et il exposait les raisons (éternelles) qui avaient « obligé » les Anciens à s'attacher aux règles. Chapelain incarnait donc une autre forme de modernité, qui fait appel à la raison pour découvrir les secrets de fabrication des chefs-d'œuvre. En quelques années la théorie élaborée par Chapelain s'est si bien imposée que les auteurs mêmes qui avaient commencé leur carrière par la tragi-comédie ont fait renaître en 1634 le genre de la tragédie, entendu désormais comme un genre moderne, alors même qu'il reprenait les mêmes sujets issus de l'histoire romaine ou de la mythologie grecque qu'avaient déjà repris les dramaturges de la Renaissance. Le théâtre, après la poésie et la prose d'art, était entré dans l'ère de l'imitation moderne des Anciens.

En 1637, Corneille, lors de la querelle du *Cid*, affronte les premières ambitions doctrinales de ces « nouveaux doctes » : la leçon est déjà, plus encore que chez Balzac, celle de l'*ingenium* insolent et talentueux, qui n'a que faire des leçons, fussent-elles en latin ou en français. Il est d'ailleurs frappant de voir que Corneille, qui triomphe au moment même où s'imposent les règles, a lu (et bien lu !) Aristote *après coup*, notamment pour élaborer ses *Discours* de 1660, et que le théoricien est né chez lui du polémiste qui avait dû défendre la réussite de ses œuvres *malgré* les doctes.

En 1650, une autre querelle se cristallise autour des œuvres respectives de Voiture et de Balzac : après la mort du premier, il s'agit bien de proclamer la légitimité d'une littérature mondaine, en français, qui n'a plus besoin des modèles anciens et étrangers. Quelques années plus tard, l'affirmation de l'esthétique galante autour des *Œuvres* de Sarasin (1656) sera un moment essentiel pour la réflexion doctrinale, surtout en ce qu'elle place plus que jamais au cœur du dispositif la nécessité de l'art de plaire. A. Adam a parlé à ce propos d'une « école de 1650 », qui serait la véritable fondatrice du « classicisme » qui triomphera dans la décennie suivante.

De nouveau dans le champ théâtral, les années 1660 vont connaître des affrontements critiques qui ressortissent à cette opposition entre Anciens et Modernes : plus importante à certains égards que celle du *Tartuffe* ou celle du *Dom Juan*, la querelle de *L'École des femmes*, en 1663, donne au théâtre un rôle central dans le bon fonctionnement de la société, en défendant, par la bouche des protagonistes qui représentent le public même de Molière, l'idée d'une comédie « miroir » de la société.

Sans insister sur le débat provoqué par *Andromaque* de Racine (1667), dont l'effet, à l'époque fut comparable à celui du *Cid*, et à qui on reprocha alors de trop sacrifier à la galanterie et d'user d'une langue incompréhensible, il faut retenir ici la querelle d'*Alceste* (1674) : cet opéra, ou plutôt cette tragédie en musique – comme on disait alors – composée par Lully et Quinault, voulait imposer l'idée que ce genre nouveau était le véritable héritier des modèles antiques (*Alceste* est imité d'Euripide) ; cela prenait place dans le cadre du débat contemporain où le parti des Modernes affirmait la supériorité de la poésie française et chrétienne sur les modèles antiques. Racine entreprit de répondre au défi en écrivant *Iphigénie*, qui marquait un retour à l'inspiration grecque et mythologique d'*Andromaque*. Perrault réagit dans un dialogue intitulé *Critique de l'Opéra ou Examen de la tragédie intitulée Alceste ou le Triomphe d'Alcide*, où il justifiait les libertés prises par Quinault dans sa récriture d'Euripide : c'était s'opposer explicitement à l'ambition du théâtre racinien et affirmer la supériorité des Modernes sur les Anciens.

Ces débats répétés durant tout le siècle vont se cristalliser lorsque Charles Perrault fait lire, devant l'Académie, son poème sur *Le Siècle de Louis le Grand* (1687) : il y célèbre les auteurs modernes, en les opposant aux auteurs de l'Antiquité grecque et latine. Il convient de remarquer que Charles Perrault, tout moderne qu'il fût, reprend alors la vision traditionnelle des « siècles » ; mais la *translatio studii* se double ici d'une idée de progrès : Louis XIV vaut mieux que Périclès ou Auguste. On ne s'étonnera pas de le voir défendre une poésie d'inspiration chrétienne (il était lui-même l'auteur d'un poème de ce genre : *Saint Paulin*, 1675), et d'opposer radicalement le goût moderne au pédantisme des Anciens. Il défend la culture moderne, qui est celle des mondains, et surtout celle des femmes : c'est pourquoi Boileau lui répondra, entre autres, avec la *Satire* X, sur les femmes.

Pour ce dernier, il allait en effet de soi que l'Antiquité a tout à nous apprendre en matière d'art et de littérature : à ses yeux, les grands modèles demeuraient Virgile, Térence, Sophocle. L'*Art poétique* était lui-même imité de celui du poète Horace, dont Boileau s'inspirait déjà dans les *Satires*. La mythologie, même si on ne croyait plus, comme le pensaient encore les humanistes du siècle précédent, qu'elle fût une théologie primitive révélatrice, sous le voile allégorique, des secrets sur le monde, demeurait la source légitime des chefs-d'œuvre. Même Fontenelle, dans son *Origine des fables*, où il dénonçait pourtant la superstition qui les avait fondées, reconnaissait qu'on se passerait difficilement de la beauté dont la mythologie demeurait porteuse. Boileau, après Balzac, et comme La Fontaine (*Épître à Huet*, 1674) défendait l'idée d'une bonne imitation, celle qui savait faire un choix judicieux dans le patrimoine littéraire de l'Antiquité. Le rapport dynamique au modèle trouvait aussi sa justification dans la liberté affirmée à l'égard des règles que Boileau avait trouvée chez le pseudo-Longin : refusant l'amnésie volontaire d'un Perrault, Boileau a puisé, comme l'avait fait Balzac, la véritable modernité dans la source vive des chefs-d'œuvre anciens.

On pourrait dire que la Querelle des Anciens et des Modernes marque, en définitive, un aboutissement où, forts des débats que tout le siècle a fournis, les partis en présence vont fixer les positions que l'on avait trouvées chez Balzac, Corneille, Pellisson ou La Fontaine ; la publication en 1687 de l'*Épître à Huet*, par exemple, souvent célébrée comme pièce maîtresse dans l'argumentation des Anciens, ne met-elle pas au jour un texte contemporain de l'*Art poétique* de Boileau (1674), et dont les positions sur l'imitation adulte, c'est-à-dire sans aucune servilité à l'égard des modèle anciens, ne sont pas sans rappeler celles de Guez de Balzac ? Le *Parallèle des Anciens et des Modernes* fixera à sa manière le « palmarès » des classiques, et la fameuse lettre de Boileau à Perrault en 1694, au moment de la réconciliation, trace elle aussi les linéaments essentiels du *corpus* classique. Les quatre volumes des *Hommes illustres* de Perrault (1696-1700) achèveront de fixer le cadre dans lequel sera envisagé, désormais, la question du classicisme.

De la *res literaria* à la littérature

Parler de la « littérature française » au XVIIᵉ siècle ne va pas de soi : en effet, la notion même de « littérature » n'est pas fixée avec certitude pour cette période, où l'expression « Belles-Lettres » qui pourrait le moins mal y correspondre renvoie autant, si ce n'est plus, à la connaissance des orateurs et des poètes de l'antiquité qu'à la « création » littéraire personnelle d'auteurs contemporains. De plus, le XVIIᵉ siècle constitue, en soi, un moment crucial pour l'histoire de cette notion : celle-ci se dégage en effet peu à peu du sens humaniste de *res literaria* (qui renvoie à tous les savoirs livresques hérités de l'Antiquité) pour se restreindre au sens plus étroit de « Belles-Lettres », ce qui désigne, *grosso modo*, les genres littéraires tels que nous les comprenons aujourd'hui (poésie, essai, théâtre, roman) et suppose un certain usage gratuit de la « fiction », pour le plaisir et l'ornement. On ne saurait non plus envisager l'idée de littérature au XVIIᵉ siècle sans poser la question du ou des publics et surtout des « compétences » qu'un lecteur ou un spectateur est supposé avoir pour apprécier cette littérature : faut-il mettre sur le même plan les « citoyens » de la République des lettres et les dames ou les seigneurs de la Cour ? Enfin, l'idée même de littérature suppose l'existence d'un champ spécifique où la pratique proprement « littéraire » trouve son autonomie par rapport aux autres formes de la vie culturelle et intellectuelle : la constitution d'un premier « champ littéraire » est précisément un des enjeux majeurs de ce siècle, qui a vu naître l'idée moderne d'écrivain.

I. L'âge de l'éloquence

L'idée de littérature, comprise comme le champ autonome d'une pratique esthétique du langage, dont nous sommes aujourd'hui encore tributaires, risque de nous rendre invisible une grande partie du domaine que recouvrait ce terme durant le xviie siècle, avec d'autant plus de facilité que l'histoire littéraire canonique qui a construit l'image d'une littérature nationale classée par « siècles », est postérieure au romantisme, et héritière directe de cette vision « restreinte » de la littérature. Marc Fumaroli a étudié cette mutation de la *res literaria* (Fumaroli, 1980) ; son enquête était en effet centrée sur la question des débats autour du meilleur style oratoire (*optimus stylus*) durant « l'âge de l'éloquence » qui caractérise, selon lui, la période qui va de la Renaissance au seuil de l'époque classique. Durant cette époque, la légitimité et la norme du « meilleur style » sont définies hors du champ étroit des « Belles-Lettres » telles que nous les comprenons aujourd'hui : la « littérature » n'est pas autonome, elle s'inscrit comme une petite province dans le vaste ensemble des institutions, civiles et religieuses, où l'usage sérieux de la parole est régi par une réflexion sur l'éloquence issue des modèles anciens (Cicéron, Quintilien) ; la poésie elle-même, pleinement légitime dans l'usage civique ou religieux, ressortit à cet ensemble, régi par les critères de la prise de parole publique, loin de toute conception de la « littérarité » moderne qui fonde aujourd'hui notre paradigme de la littérature. Pour la culture du xviie siècle, les deux modèles de la pratique artistique de la langue sont ceux hérités de l'Antiquité : l'orateur et le poète, Cicéron ou Virgile.

Cela remet en cause une approche de la littérature française qui semblait aller de soi dans la tradition culturelle et scolaire héritée du xixe siècle, et qui définit la littérature selon les catégories reçues des genres dominants, théâtre, roman et poésie, sans prêter attention aux usages politique et religieux de la poésie, alors même que ces pratiques officielles de la langue des Muses sont ce qui, en bonne part, légitimait l'activité « littéraire » de leurs auteurs. On pourra objecter qu'une telle mise en perspective risque de rejeter au second plan les auteurs majeurs à nos yeux que sont les Corneille, les La Fontaine ou les Molière, au profit de ceux que les contemporains célébraient comme les véritables « héros » de la république des lettres, érudits comme Hugo Grotius, poètes latins comme Jean-Baptiste Santeul ou critiques néo-latins comme le Père Vavasseur.

Un Guez de Balzac, critique à la fois en français et en latin, y retrouverait sans doute la place centrale qu'il avait alors, et qu'il a un peu perdue aujourd'hui, alors qu'on ne retiendrait au mieux de l'œuvre de Boileau que les pièces dues à l'historiographe du Roi, en négligeant le péché de jeunesse que sont les *Satires*. Le risque serait de faire disparaître du tableau les figures éminentes, à nos yeux, d'une Madame de La Fayette ou d'une marquise de Sévigné, au profit d'une Anna Von Schurmann ou d'une Anne Dacier, toutes deux femmes très savantes saluées par leurs contemporains comme dignes citoyennes de la *Res publica literaria*. Sans tomber dans de tels excès, il convient simplement de garder à l'esprit cette dimension spécifique de la réalité littéraire des années 1600-1700, qui gouverne bien des aspects de la littérature telle que nous l'entendons : les querelles entre savants et mondains, puis les querelles entre auteurs mondains qui rythment le siècle, la volonté de théoriser dans le champ de la littérature de divertissement (roman, théâtre, genres lyriques mondains) sont autant de symptômes de la présence massive d'un continent savant, à l'échelle européenne, d'une vaste *memoria* lettrée dans laquelle une jeune littérature vernaculaire, fière de ses audaces formelles ou thématiques et ambitieuse pour sa langue, vise à prendre une place légitime, et à acquérir une identité forte, qui l'autorisera bientôt à revendiquer pour elle-même le statut et la fonction de cette *memoria* latine.

C'est dans le mouvement même de détachement qu'elle opère par rapport à ce cadre, et dans sa quête de légitimation, théorique, sociale et esthétique qu'il faut tenter d'appréhender cette littérature pour mieux en comprendre les enjeux intrinsèques, et par là même mieux saisir ce qu'elle apporte encore aujourd'hui à nos propres attendus en matière littéraire : à bien des égards, c'est durant le XVIIᵉ siècle que la notion de littérature s'est imposée dans la dimension que notre culture lui a long-temps reconnue, comme formatrice de notre rapport au monde et aux hommes qui nous entourent.

Les enjeux esthétiques liés à l'éloquence durant tout le siècle tiennent à la fonction naturelle que les professionnels de la parole et de la plume occupaient alors, que ce fût au service d'un grand qui les protégeait ou au service de la monarchie. Une des questions posées à ce sujet depuis les dernières années du règne des Valois est celle de la parole royale : Jacques Amyot (1513-1593), le célèbre traducteur de Plutarque, avait composé, pour l'Académie du Palais de Henri III, un *Projet d'éloquence royale* (1579) qui est capital pour l'histoire de la prose française. On y voit se dessiner un idéal d'éloquence forte, où les « choses » (*res*) pré-valent sur les « mots » (*verba*), où la densité du langage donne à voir la force de celui qui parle : cette *imperatoria brevitas* sera cultivée avec soin par Henri IV. La parole du Prince devient ici la norme de la langue nationale. Cela explique que le mythe de l'*Hercule gaulois*, qui pré-sente un Hercule renonçant à la force de sa massue pour vaincre par la douceur de ses paroles, ait été un des grands mythes récurrents de la monarchie française aux XVIe et XVIIe siècles.

On pourrait écrire l'histoire de l'éloquence au XVIIe siècle comme le drame opposant cet idéal oratoire de brièveté à l'idéal de la grande élo-quence parlementaire, telle que la défend Guillaume Du Vair, dans son traité *De l'éloquence française* (1594) : cette parole politique brillera une dernière fois lors de l'assemblée des États généraux de 1614, notam-ment par la voix de Jean-Pierre Camus, qui déploie son éloquence pour dénoncer les désordres du royaume et pour appeler à la concorde. La fièvre oratoire réapparaîtra un temps lors de la Fronde, au milieu du siècle, rappelant les heures troublées de la Ligue, mais ce sera l'ultime sursaut d'une éloquence qui veut avoir prise sur l'action. Avec l'avène-ment de Louis XIV, la grande éloquence sera plus que jamais reléguée aux côtés de la poésie encomiastique : comme la lyre officielle, son principal rôle est désormais de louer le prince. De fait, le genre « épi-dictique » (celui de l'éloge ou du blâme) est le grand genre oratoire du XVIIe siècle : dans ses grands discours civiques, Du Vair, qui est alors gouverneur de Provence, exalte les valeurs de la monarchie retrouvée et célèbre la communauté dont le roi, Henri IV, est à la fois le père et le protecteur. La tonalité de cette éloquence est apparentée à celle des grandes odes que compose, à la même époque, son ami Malherbe. La publication des œuvres de Du Vair, en 1606, dresse un monument oratoire à la restauration de la monarchie, après les terribles années de la Ligue et la difficile accession au trône du premier roi Bourbon.

Nous avons déjà évoqué la fondation de l'Académie française : une de ses tâches était de rédiger une rhétorique, mais aussi de donner des exemples d'art oratoire digne des modèles antiques. De fait, elle a été le lieu où s'est élaborée une éloquence française à la fois héritière de la tradition parlementaire incarnée par Du Vair et marquée par une culture de cour plus sensible aux attraits de la modernité. Le genre de l'éloge y régnait en maître : ce fut Olivier Patru (1604-1681) qui introduisit en 1640 l'habitude du discours de réception, en prononçant un « Compliment » à l'adresse des « Messieurs de l'Académie française ». Ce brillant avocat au barreau de Paris, et membre de l'Académie française dès 1640, illustre en effet l'atticisme cicéronien – idéal de style dense et sobre, sans affectation – qui cherche, dans la voie d'un goût mondain concilié avec l'éloquence du Palais, à allier de manière équilibrée deux des fins traditionnelles de l'art oratoire, l'instruction (*docere*) et l'art de plaire (*delectare*). Sa traduction du *Pour Archias* de Cicéron est un modèle de la prose d'art que promouvait la première Académie française, où les pionniers des « Belles Infidèles », Patru lui-même, Louis Giry (1596-1665), Pierre Du Ryer (1600-1658), et Nicolas Perrot d'Ablancourt (1606-1664) s'ingénient à faire parler les grands Anciens avec toutes les grâces du « bon usage » : « belles » et « infidèles » à la fois, ces traductions libres mettaient en valeur la langue française, quitte à déformer un peu le texte original. Le recueil des *Huit oraisons de Cicéron* que publient ces quatre traducteurs en 1638 peut ainsi être considéré comme le manifeste de la prose d'art française qui fonde l'atticisme parisien, première esquisse de ce qu'on appellera, bien plus tard, et non sans anachronisme, le classicisme (Zuber, 1997).

Il n'est pas indifférent que le plus célèbre représentant des « Belles Infidèles », Nicolas Perrot d'Ablancourt, ait consacré la majeure partie de sa production à l'écriture de l'histoire : c'est en effet ce genre que Cicéron désignait comme la « plus grande œuvre oratoire » (*opus oratorium maxime*) – c'est-à-dire le plus grand genre en prose. Traducteur de Tacite et de César, de Xénophon, de Thucydide et d'Arrien, Ablancourt prolonge le travail d'un Amyot, dont le *Plutarque* demeure un des chefs-d'œuvre de la prose française de la Renaissance, mais il prolonge aussi les efforts des historiographes du début du siècle, comme Pierre Matthieu (1563-1621), qui avait composé une *Histoire de France* (1605) en essayant d'imiter le style moderne (*dir moderno*) des historiographes italiens, ou Scipion Dupleix (1569-1661), auteur d'une *Histoire générale de France* (1621-1628) qui est caractéristique de l'écriture officielle, à la limite du panégyrique, dont il avait la charge en tant qu'historiographe de France (1619). Les débats du temps autour du style choisi par Pierre Matthieu mettent bien en jeu toute l'esthétique de la prose : imitateur de Sénèque et de Tacite – dans la lignée de Juste Lipse, grand admirateur de ces deux auteurs – Matthieu recherche la force des sentences et l'effet du style coupé qui donne à l'écriture historique tout le poids d'un recueil de maximes : dégageant ainsi, au fil de la narration d'événements singuliers, la portée générale de ceux-ci en morale et en politique, l'historien peut viser à la vérité qui est d'ordinaire le propre du discours philosophique. L'histoire « maîtresse de vie » se fait recueil de maximes qui enseignent la prudence. Cette opposition entre le génie des styles, qui reprend la vieille opposition entre asianisme et atticisme, a donc une portée capitale dans le débat sur le meilleur style de la prose française. L'articulation du savoir historique à un savoir moral et psychologique, par le biais de l'écriture sentencieuse, aura aussi une descendance très importante, quand, plus tard dans le siècle, l'écriture historique deviendra le modèle de la narration romanesque, chez Saint-Réal ou Madame de Lafayette (voir ci-dessous, p. 93-94).

En quête d'une formule équilibrée pour l'expression française de la vérité historique, ces auteurs gardent à l'esprit les modèles antiques :

César, Salluste, Tite Live et Tacite offrent à l'historien moderne toute une palette de styles variés, inspirés eux-mêmes du style des historiens grecs (charme naïf du conteur chez Hérodote, dense obscurité de Thucydide, simplicité attique de Xénophon). La réussite dans ce domaine appartient donc de plein droit au ressort de ce que nous appelons aujourd'hui la littérature : à cet égard, *L'Histoire romaine* (1621) de Nicolas Coëffeteau (1574-1623), qui a contribué à construire l'image de la Rome exemplaire que l'on retrouve chez Corneille ou chez Guez de Balzac, a été un des grands succès de librairie du siècle ; Vaugelas, et plus tard La Bruyère, considèrent Coëffeteau comme un des maîtres incontestés de la langue française.

C'est notamment de son style que Vaugelas déclare s'inspirer lorsqu'il entreprend à son tour la traduction de l'historien romain d'Alexandre le Grand, Quinte Curce. Sa traduction, qui visait surtout, de son propre aveu, à illustrer le style historique en français, sera soumise phrase après phrase aux avis de l'Académie française, qui en assurera la publication posthume en 1653 ; par la suite, les académiciens, soucieux de fixer l'usage et de noter les évolutions de la langue, en feront encore un commentaire ligne à ligne au début du XVIIIe siècle (*Remarques sur le Quinte-Curce de Vaugelas*, 1720). Bien avant le roman, qui sera dans la seconde moitié du siècle le champ d'analyse des « remarqueurs », l'histoire est donc un des lieux favoris de la réflexion sur la langue et de la mise en œuvre d'une rhétorique proprement française.

Guez de Balzac travaille dans le même sens : il a voulu effectivement faire œuvre d'éloquence, mais en choisissant un genre apparemment peu oratoire, et surtout tourné vers l'expression de soi : la lettre. Il publia en effet de son propre chef ses *Lettres* comme un ouvrage à part entière (1624). Au service du duc d'Épernon (1554-1652), puis de son fils le cardinal de La Valette (1593-1639), Balzac avait séjourné à Rome en 1621-1622, sur ordre de ce dernier ; l'influence du goût italien pour l'art épistolaire, liée au succès durable des *Centuries* de lettres de l'humaniste flamand Juste Lipse (publiées à partir de 1586) ont sans doute incité le jeune écrivain à pratiquer le genre. Depuis Érasme (*De conscribendis epistolis*, 1522), la réflexion sur le genre de la lettre, essentiellement pratiqué en latin, tournait autour de la question du style juste qu'il faut employer pour dévoiler la personne privée, ce style « comique » que Montaigne avait pratiqué dans les *Essais*, si proches de la lettre. Lipse avait théorisé cet art de la spontanéité dans sa préface de 1586 et dans son *Institutio epistolica* (1591), transformant le *style humble* qui la caractérise en une véritable prose d'art destinée à un lecteur averti et attentif : l'art de l'allusion, lié au souci constant de brièveté, le goût de l'urbanité, c'est-à-dire de l'élégante raillerie et de l'enjouement spirituel, y sont toujours placés sous la lumière de l'échange et de l'adaptation au destinataire. L'apport décisif de Balzac est d'avoir voulu adopter ce style et généraliser cette pratique dans sa langue natale, le français. Au dévoilement du *moi* qu'avait entrepris Montaigne, Balzac apporte la caution du destinataire réel, protecteur ou amical, et il replace la question de la sincérité dans le contexte d'un échange effectif – même si, en définitive, plus d'une lettre a été écrite en vue d'une plus large divulgation.

Nous avons déjà évoqué la querelle qu'ont suscitée ses *Premières Lettres*, étape essentielle dans la constitution d'un public moderne qui hérite à la fois des attentes de l'espace officiel de l'éloquence et de l'espace privé de la conversation (Merlin, 1994). Revenu en France, Balzac tentera de faire une carrière politique, comme conseiller de Richelieu ; mais le cardinal ne donnera pas suite à ses ambitions. Il se retire alors dans son domaine en Charente, après l'échec de son livre sur Louis XIII (*Le Prince*, 1631). Sa retraite ne l'a pas empêché de demeurer un des critiques les plus écoutés de son temps ; correspondant avec Jean Chapelain, il réagit à toutes les querelles littéraires de la première moitié du siècle. Il défend contre l'Académie le succès du *Cid* (1637), il félicite Corneille d'avoir mis sur scène des grands personnages romains dans *Cinna* (1642), il élabore une théorie de la grande comédie (*Réponse à deux questions*, 1644). Lorsque paraissent ses *Œuvres diverses* en 1644, Balzac est au sommet de sa carrière de critique : il défend l'idéal de la grande éloquence et celui de la conversation des romains ; le « grand Romain » dont il dresse le portrait pour Madame de Rambouillet incarne parfaitement l'idéal de magnificence et de goût qui sous-tend le classicisme français. L'« urbanité » dont rêve

Balzac est une des multiples expressions qui définissent l'idéal de l'honnête homme théorisé, quelques années auparavant, par Nicolas Faret.

Avec Balzac, défenseur d'une « magistrature de l'écrivain » (Fumaroli) qui doit beaucoup à l'héritage de l'éloquence, l'ambition de la *res literaria* devient celle d'une littérature pleinement française, et ouvertement mondaine. Il contribue à définir cette ambition, ainsi que la physionomie du public idéal, mondain par l'impératif d'urbanité, mais savant par la profondeur de la mémoire lettrée. L'idéal de l'honnête homme, que son œuvre a contribué à élaborer, traversera tout le siècle, même si des relais plus « galants », comme Vincent Voiture et surtout, Jean-François Sarasin, éclipseront peu à peu son héritage auprès des gens du monde, au point de disqualifier son style, dans la seconde moitié du siècle.

2. Culture orale et culture écrite

Lorsque Vaugelas définit, en matière de bon usage, la *sanior pars* du public qui joue le rôle d'arbitre de la langue (voir ci-dessus, p. 44), il convient de préciser que cette élite ne représente qu'une très fine frange de la société : la place centrale que le grammairien accorde à la cour s'explique notamment par la logique qui gouverne alors la politique de la langue. Car supposer l'existence d'une langue commune à l'échelle du royaume ne va pas de soi à cette époque : en effet, la langue française n'était pas encore le partage de tous les sujets du roi ; par exemple, les pays d'oc, la Bretagne sont des régions où le français n'est pas la langue vernaculaire ; de plus, l'expansion du royaume durant le règne annexe de nouveaux territoires, comme la Flandre (1668) ou la Franche-Comté (1679), où le français est perçu comme une langue étrangère. Dans un tel contexte, l'unité linguistique est un enjeu politique majeur. Le règne de Louis XIV a été déterminant dans ce domaine, car la montée en puissance de l'État centralisé s'y accompagne de la promotion d'élites qui se distinguent, entre autres, par leur usage du français. Dans le fossé qui s'accuse alors entre Paris et les Provinces, le peuple demeure tributaire des langues régionales, alors que les élites sont bilingues, pratiquant le français et la langue de leur province, voire, pour les plus savants, trilingues, lorsque le latin, pratiqué très tôt au collège, s'ajoute aux compétences linguistiques acquises.

Dans cette logique d'ensemble, le système de cour est décisif : les élites provinciales étant amenées à y faire carrière, cela les contraint à une francisation radicale. L'installation de la cour à Versailles, à partir de 1682, marque le terme d'un processus amorcé tôt dans le siècle, mais accéléré durant l'âge louis-quatorzien. Il suffit de regarder l'abondante littérature des traités de cour, de celui de Nicolas Faret (*L'Honnête Homme, ou l'Art de plaire à la Cour*, 1630) à celui du Chevalier de La Chétardie (*Instruction pour un jeune seigneur*, 1682), pour voir à quel point l'accent est constamment mis sur cette culture commune, en français, dont l'art de la conversation est le suprême accomplissement. Que Molière, observateur avisé de la société de son temps, thématise de manière si fréquente la question du langage, est un indice certain de l'importance du phénomène : le « réalisme linguistique » sur lequel joue Molière est en fait l'écho de l'intérêt que la société du temps attache à la langue française, au moins depuis les « salons » de l'époque de Louis XIII, comme la fameuse Chambre Bleue de l'Hôtel de Rambouillet, où se sont faites et défaites les réputations littéraires du début des années 1620 au milieu des années 1640.

Le public que vise Molière est celui des élites urbaines cultivées et des courtisans ; son ironie suppose une culture partagée par son public. Cette culture commune est alors formée dans le cadre d'un enseignement qui synthétise les acquis de l'humanisme, mais dont il convient de rappeler qu'il est, à l'origine, un résultat des préoccupations religieuses. En effet, au-delà des enjeux politiques, le souci d'acculturation d'un plus grand nombre de sujets est lié, essentiellement, à la confrontation avec le dynamisme de la Réforme en matière pédagogique : les acteurs de la Réforme catholique se sont efforcés, tout au long du siècle, d'éduquer la population dans le sens d'un souci religieux plus affirmé et plus conscient. De ce point de vue, on peut affirmer que les Églises

– protestantes ou catholiques – ont été les grandes actrices de la scolarisation sous l'Ancien Régime : il s'agissait de donner accès à la lecture, pour favoriser une meilleure assimilation des vérités chrétiennes, telles qu'elles étaient transmises par le catéchisme. Cet effort de scolarisation rencontra des résistances, tant du côté des élites, qui craignaient une éducation trop poussée du peuple, que du côté de certaines traditions populaires, rétives à l'imposition d'un modèle uniforme de culture venu d'en haut (voir Chartier, Compère et Julia, 1976).

Les élites sont alors formées dans le réseau de collèges, notamment jésuites, que la Réforme catholique avait développé depuis la fin du xvie siècle, et ce processus connut son apogée dans la seconde moitié du xviie siècle. Ainsi, le public cultivé de cette époque était formé, en bonne part, dans le cadre de la méthode des études (*Ratio studiorum*) des collèges de la compagnie fondée par Ignace de Loyola un siècle plus tôt (1540). Corneille, comme Voltaire, furent formés à cette école, où la connaissance des « humanités » classiques faisait le fond de l'apprentissage, avec un accès privilégié à la rhétorique et à la poétique de la latinité classique (Cicéron, Horace, Virgile, lus et commentés sous la houlette stricte du pédagogue Quintilien). En France, cet élan de la Réforme catholique avait suscité d'autres initiatives remarquables, comme la fondation l'Oratoire par le cardinal de Bérulle en 1611, qui avait rapidement suscité l'essor de collèges rivaux de ceux des jésuites. Issu d'une branche parallèle de cette mouvance française de la Réforme catholique, Port-Royal, dont les fameuses « Petites Écoles » formèrent le jeune Racine, connut son heure de gloire entre 1637 et 1660. Si les querelles autour du jansénisme scellèrent le sort de ces écoles au seuil du règne personnel de Louis XIV, leur influence dura longuement, notamment dans le champ littéraire et philosophique. La célèbre *Grammaire de Port-Royal*, monument de la pensée grammaticale rationnelle et méthodique, élaborée par Antoine Arnauld et Claude Lancelot, vit le jour en 1660, au moment même où le jeune monarque allait imposer sa vision personnelle du pouvoir et de la religion.

En deçà du monde privilégié des élites, il n'en reste pas moins que le xviie siècle offre encore un monde où la culture orale demeure largement dominante, et où l'écrit n'est le fait que d'une part réduite de la population. Les études sur l'alphabétisation sous l'Ancien régime ont montré les grandes inégalités en la matière, tant sur le plan géographique – avec une alphabétisation relativement élevée dans le Nord-Est, et des zones sinistrées en Bretagne ou dans le Sud-Ouest –, que sur le plan social – les masses paysannes restant en grande majorité illettrées, alors que les populations urbaines atteignent, en certains endroits, des taux d'alphabétisation de l'ordre de 30 à 40 %. C'est pourquoi, en contrebas de l'édifice pédagogique destiné à former les élites, le véritable combat pour l'acculturation des esprits qui se livre au niveau du peuple continue au fil du siècle. Dès les années 1660, un effort considérable a été fait en direction des sujets les plus pauvres du royaume de France. Les historiens de la pédagogie insistent sur l'intervention tardive du pouvoir royal en la matière : il faut en effet attendre 1698 pour qu'un arrêt royal mette en place l'obligation de la scolarité (jusqu'à quatorze ans), avec les dispositifs financiers nécessaires à sa réalisation. On comprendra que cette disposition accompagne avant tout la reconquête catholique du royaume, et que l'universalité de la mesure masque à peine la volonté de soumettre les enfants de la communauté protestante aux impératifs de la religion officielle.

Des initiatives charitables comme celle de Charles Démia (1637-1689) ou de Jean-Baptiste de La Salle (1651-1719) ont ouvert l'enseignement aux plus pauvres dans le dernier quart du siècle. Démia crée à Lyon, entre 1672 et 1689, seize écoles gratuites pour garçons et filles ; La Salle avait fait de même à Reims, avant de venir à Paris en 1688 et de fonder l'institut des Frères des Écoles chrétiennes, à partir de 1691. Une de ses idées maîtresses fut de créer un noviciat pour former les futurs maîtres ; il inaugura aussi la méthode simultanée, où les élèves, regroupés par classes de niveau, reçoivent en même temps le même enseignement de la part du maître, alors que la méthode dominante jusque-là reposait sur l'enseignement individuel, qui laissait une bonne part des élèves désœuvrés pendant que le maître s'occupait de l'un d'entre eux. L'enseignement élémentaire consistait donc à apprendre à lire – sans que cela fût lié forcément à l'apprentissage de l'écriture. À l'aide d'un catéchisme ou d'un abécédaire, l'enfant était initié aux rudiments de la lecture ; jusqu'à la fin du XVIIe siècle, cela se fait toujours à partir du latin, et il faudra de longs débats pour que le français s'impose comme langue d'apprentissage, notamment sous l'influence décisive de Jean-Baptiste de La Salle. Le cœur de la pédagogie élémentaire était donc la religion, mais aussi la « civilité », c'est-à-dire le contrôle du corps et la régulation des mœurs, pour faire de l'enfant un être socialisé.

Tout cela atteste que le public du XVIIe siècle n'a pas d'homogénéité ; si on considère qu'un faible pourcentage des « Français » avait alors la langue française pour langue maternelle, qu'un pourcentage même très réduit d'entre eux maîtrisait la pratique de l'écrit, il ne faut guère se faire d'illusion sur le public réel des nombreux textes considérés aujourd'hui comme partie intégrante de la littérature. La constitution d'un champ littéraire propre s'est donc faite dans le cadre de la culture des élites, avant de devenir un enjeu de divulgation plus large, qui sera le fait du siècle suivant, avec l'avènement de l'idéal des Lumières.

3. La naissance de l'écrivain

Pour l'instant, il s'agissait surtout pour l'idée moderne de littérature d'imposer son autonomie, dans le cadre contraignant des structures sociales et culturelles de l'Ancien Régime. Parmi les conquêtes du XVIIe siècle en ce domaine, une des étapes majeures de ce processus a été l'invention d'un modèle inédit de praticien de la langue qui fût capable d'incarner l'idée nouvelle de littérature : l'écrivain lui-même. C'est en effet durant le XVIIe siècle que s'est imposée l'idée d'une profession spécifique dans le domaine des Lettres : son affirmation a accompagné l'émancipation progressive du champ de la littérature par rapport aux pratiques du discours qui constituaient la *res literaria* savante. Tout un pan de la recherche des dernières décennies du XXe siècle s'est orienté vers l'étude de ce phénomène, nourri à la fois par des perspectives issues de la sociologie (notion de « champ littéraire » élaborée par P. Bourdieu) et les nouveaux acquis de l'histoire de l'édition et de la lecture (R. Chartier, H.-J. Martin). Le mérite de ces approches est de renouer à nouveaux frais avec la tradition de l'histoire littéraire, tout en la renouvelant en profondeur.

Un premier constat s'impose : pour qu'il y ait profession en matière littéraire, il faut un domaine d'activité qui lui permette de se développer. De fait, le XVIIᵉ siècle est une période cruciale pour l'histoire de la littérature en ce qu'il est aussi un moment important de l'histoire du livre et de la librairie en France. Le XVIᵉ siècle avait été l'époque de l'essor de l'imprimerie sur l'ensemble du territoire, avec une production très importante dans les grands centres comme Lyon, Toulouse, Bordeaux ou Rouen. Porté par l'intense effort de publication lié à la diffusion de la Contre Réforme, qui a besoin d'une masse considérable de livres liturgiques, et qui favorise une abondante littérature de piété, le commerce de librairie est très prospère durant la première moitié du XVIIᵉ siècle, mais avec une tendance progressive à la concentration de la production imprimée originale à Paris ; peu à peu, les grands centres provinciaux, laissés à l'écart des autorisations royales (le régime du privilège), vont être réduits à réimprimer ce qui se publie à Paris, en partageant le Privilège d'impression avec les libraires parisiens.

L'évolution du régime de l'édition explique cette concentration progressive (Martin, 1969) : durant tout le XVIᵉ siècle, l'État, l'Église et les Parlements se sont disputé la fonction de contrôle des publications. Depuis 1566 (ordonnance de Moulins), ce pouvoir de contrôle avait été délégué à la Chancellerie, ce qui avait amené à l'instauration du système des privilèges, censé protéger le libraire (terme qui désigne alors le métier d'éditeur) de toute contrefaçon : le privilège était un monopole de durée déterminée accordé soit à l'auteur, qui le déléguait à un imprimeur-libraire, soit directement à celui-ci. Il impliquait l'examen préalable du manuscrit destiné à l'impression, examen confié à des experts, ce qui en faisait donc en même temps un moyen de censure préventive. Il est vrai qu'un ouvrage ayant été imprimé avec privilège pouvait tomber sous le coup de la censure après coup, lorsqu'une autorité – politique ou ecclésiastique – s'avisant d'un contenu répréhensible intervenait auprès de la Chancellerie pour faire modifier ou interdire l'ouvrage. La place centrale du chancelier dans le dispositif (c'est lui qui désigne les censeurs royaux, et qui, à terme, accorde les privilèges) explique l'importance qu'aura un Pierre Séguier dans la vie littéraire du siècle. Chancelier de 1635 à 1672, il vit son rôle renforcé dans la vie littéraire lorsqu'il devint le protecteur de l'Académie française à la mort de Richelieu (1642).

Cet état de choses accentuait la complexité du statut de l'auteur au XVIIe siècle. Du fait que la plus grande partie des livres publiés était due à des auteurs occasionnels, laïcs et surtout religieux, et que les amateurs de haut rang affectaient de ne pas monnayer leurs écrits, le statut d'auteur n'assurait pas de revenu fixe : l'auteur n'était pas toujours payé par le libraire, qui se contentait parfois de lui donner un certain nombre d'exemplaires de son livre, pour qu'il le diffuse lui-même. Juridiquement, le droit d'auteur n'apparaîtra pas avant la fin du XVIIIe siècle, même si, contrairement aux idées reçues, la notion de propriété littéraire progresse durant les années 1600-1660 (voir Viala, 1985). En tout état de cause, les sommes versées à ce titre ne suffisaient pas à assurer à ceux qui les percevaient une autonomie financière qui leur aurait permis de vivre correctement. Seuls les auteurs de théâtre à succès comme Corneille, Racine et Molière se sont véritablement enrichis lorsque, à l'exemple de Corneille, ils ont cessé de vendre à forfait leurs pièces aux comédiens pour recevoir une part de la recette, les deux premiers ayant en outre habilement négocié avec leurs libraires la cession de leurs privilèges d'impression. Mais ce sont des cas exceptionnels et il était quasiment impossible pour un auteur professionnel qui ne jouissait pas d'une fortune personnelle de faire carrière sans la protection d'un grand. Il est vrai que, sous le règne de Louis XIII, Richelieu tenta d'instaurer un système de pensions pour des écrivains de son choix, mais il ne lui survécut pas ; quant au mécénat royal inauguré par Colbert en 1663, il devait assurer une belle aisance aux savants et hommes de lettres inscrits sur la liste des gratifications (de 600 à 3000 livres par an), mais il se réduisit progressivement au cours des décennies suivantes du fait des difficultés financières d'un royaume qui fut de plus en plus souvent en guerre à partir de 1673 (guerre de Hollande). Bref, durant tout le siècle, de Voiture (secrétaire de Gaston d'Orléans) à La Bruyère (qui appartenait à la maison du Grand Condé), la sécurité financière rima le plus souvent avec l'attachement à une grande maison : il fallait à l'écrivain se résoudre à faire partie de la clientèle d'un grand, et exercer une fonction de secrétaire ou de précepteur, ce qui n'était pas décisif pour obtenir la pleine reconnaissance d'auteur à part entière. Seul le mécénat, dont la portée symbolique est partagée par l'écrivain (reconnu ainsi pour son mérite littéraire) et son protecteur (dont la protection devient alors signe de reconnaissance et de distinction culturelle), a pu jouer un rôle fort de valorisation de l'activité littéraire. Mais il concerne beaucoup moins d'auteurs que le simple clientélisme, et s'il fut le fait de nombreux grands dans la première moitié du siècle (de Gaston d'Orléans à Nicolas Fouquet), il fut monopolisé, après 1661, par la Maison du Roi.

L'autre instance majeure qui peut consacrer la reconnaissance de l'écrivain est, bien sûr, le public auquel il s'adresse. Là encore, le XVIIe siècle est un moment décisif dans la construction de cette instance, qui, elle aussi, accompagne et légitime l'affirmation d'un champ littéraire spécifique. La constitution d'une audience, par l'oral ou par l'écrit, peut être rattachée à l'histoire même des genres littéraires : ainsi, le théâtre acquiert un public durant les années du règne de Louis XIII, et le roman est un genre en plein essor dès l'époque de Henri IV ; au tournant des années 1660, la « crise » du grand roman héroïque, contemporaine du « classicisme » au sens étroit du terme (1660-1680), correspond à l'essor d'autres formes de production narrative (nouvelles, petits romans, lettres). Au dire des auteurs ou des théoriciens, toutes ces évolutions ont comme facteur déterminant le goût du public, auquel il s'agit de plaire avant toute chose. C'est dire que la littérature du XVIIe siècle a dû construire son public au moins autant qu'elle a été construite par les attentes de ce dernier.

Autre indice du rôle croissant du public dans le champ littéraire, les grandes querelles qui ont accompagné l'évolution de la littérature durant tout le siècle (voir ci-dessus, p. 47-52) ont chaque fois fait appel au jugement du public, comme ultime arbitre et pierre de touche du succès – en deçà de toute légitimité théorique. Cet « art de plaire » est étroitement lié à l'avènement d'une littérature de cour et à la promotion du modèle de l'« honnête homme », qui est appelé à devenir le principal public visé par cette littérature : tout cela a constitué peu à peu un champ littéraire propre, quasiment inexistant à l'époque de Henri IV, et s'affirmant au fil du siècle, d'abord sous l'influence de Richelieu (1624-1642), puis dans le cadre de la culture louis-quatorzienne, qui développe les arts et les lettres à des fins de prestige. Ce processus séculaire a ainsi conféré à l'homme de lettres le statut spécifique d'« auteur », terme général qui devient alors peu à peu synonyme de celui d'« écrivain ».

Les relais constituants de ce nouvel espace public sont d'abord les salons, qui sont relayés au fil du siècle par l'essor des périodiques littéraires, comme le *Mercure galant*. Le plus célèbre des « salons » du XVIIe siècle est incontestablement celui de Mme de Rambouillet (Catherine de Vivonne, ~1580- 27 décembre 1665) : les réunions s'y tiennent à partir de 1613, et le cercle a été réellement actif jusqu'en 1650 environ. Lieu de constitution d'une culture mondaine aussi bien que laboratoire de la nouvelle littérature, l'hôtel de Rambouillet a été sans doute le foyer véritable de ce qui allait devenir « l'école de 1650 » (A. Adam, 1942), fondatrice, à bien des égards, de la future doctrine « classique » : le « triumvirat » Chapelain-Conrart-Balzac s'y opposa notamment à Voiture et ses partisans, dans la querelle qui surgit entre les deux écrivains après 1640. L'influence de l'hôtel de Rambouillet tenait à ses protections politiques, car son animatrice était une grande amie de Mme de Combalet, la nièce du Cardinal de Richelieu. Elle entretenait aussi des liens avec l'hôtel de Condé que fréquentait Chapelain. Dans l'entourage de Mme de Rambouillet, on compte aussi Mme de Sablé (Madeleine de Souvré, marquise de, 1599-1678) qui est elle aussi amie des Condé, et proche de la famille Arnauld, c'est-à-dire de Port-Royal ; son influence sur la vie littéraire des années 1660 sera déterminante, et elle poursuivra ainsi la tradition inaugurée rue Saint-Thomas du Louvre. Ce salon n'était pas le seul à briller dans les années 1630-1640 : il serait injuste de négliger l'activité de Mme des Loges (Marie Bruneau, 1584-1641) qui résidait rue de Tournon, où elle recevait aussi bien Gaston d'Orléans que le poète Malherbe ; dans un autre registre, il convient de citer aussi les réunions autour de la Vicomtesse d'Auchy (Charlotte des Ursins, ~1570-1646), qui recevait ses hôtes le mercredi, dans sa demeure de la rue des Vieux-Augustins.

Face à un cercle comme celui-ci, qui témoigne d'une culture lettrée un peu datée, d'autres salons très aristocratiques donnent un ton tout à fait différent à la culture mondaine : c'est le cas notamment du fameux Hôtel de Nevers, où règne le duc Henri du Plessis-Guénegaud ; les grands aristocrates qui se piquent d'écrire en brillants amateurs (La Rochefoucauld, Mme de Lafayette, Mme de Sévigné) s'y mêlent aux roturiers dont la plume est le métier (Racine et Boileau y font leurs premières armes) ; d'autre part, ce cercle est un lieu d'opposition au pouvoir nouveau (on y fera notamment le choix du parti de Fouquet). Se posant en rival du précédent, l'Hôtel de Richelieu reçoit, sous la houlette de la duchesse du même nom, de grands mondains et les lettrés qu'ils protègent (Mme de Lafayette, Mme de Sévigné) : la rivalité s'affirme particulièrement lorsqu'on y prend position dans les cabales contre Racine (*Iphigénie*), ou quand on protège Desmarets de Saint-Sorlin (*Défense du poème héroïque*, 1674). Cette présence des salons mondains dans la vie littéraire des années 1670 est une constante : ainsi, le salon animé par la duchesse de Bouillon, la protectrice de La Fontaine, jouera un rôle important dans la cabale de *Phèdre*.

Enfin, il serait injuste d'oublier les salons animés par des femmes qui ont sont elles-mêmes écrivaines : Madeleine de Scudéry tient ses « Samedis » chez elle, rue de Beauce, dans le Marais, à partir de 1653 : on y rencontre Paul Pellisson, qui vient de Castres : ce noyau constitué dans l'entourage de « Sapho » est le principal vecteur de l'esthétique galante, qui fleurira autour de Fouquet quelques années plus tard, lorsque ce dernier s'entourera à son tour de gens de lettres, comme La Fontaine ou Molière. Mme Deshoulières (Antoinette du Ligier de la Garde, 1637-1694), qui fréquentait l'hôtel de Bouillon et l'hôtel de

Nevers fut une artisane de la querelle contre *Phèdre* de Racine, et elle recevait, dès 1685, les partisans des modernes, Quinault, Perrault, Charpentier, Le Clerc, Boyer, avant de prendre ouvertement parti pour Charles Perrault dans la querelle des Anciens et des Modernes, lorsque celle-ci éclata en 1687. Ces espaces mondains ont contribué à définir les attentes du public en matière littéraire, et ont joué un rôle déterminant dans l'orientation que les auteurs eux-mêmes ont donnée à leurs œuvres. Espace d'échange intellectuel, mais aussi lieu où les auteurs pouvaient rencontrer leurs protecteurs, l'univers des salons, malgré le nombre restreint de personnes qu'il englobait (à peine sept cents au total, dans les dernières décennies du siècle) a été le berceau où l'idée moderne de littérature s'est épanouie en tant que phénomène autonome, aux confins du privé et du public.

Dans le courant du siècle, leur activité fut relayée par les périodiques, comme le *Mercure galant* (fondé en 1672 par Donneau de Visé et animé ensuite par Thomas Corneille), qui avait été précédé quelques années plus tôt par les chroniques en vers de *La Muse historique* de Guillaume Loret (1655). Parallèlement à cette production imprimée qui connut une diffusion de plus en plus large, des ouvrages de fiction à portée critique, comme la *Nouvelle allégorique* de Furetière (1658) ou le *Parnasse Réformé* de Gabriel Guéret (1667), suivi de *La Guerre des auteurs* (1671), témoignèrent alors de cette réalité nouvelle qu'était devenu le champ littéraire. À côté de ces ouvrages, il est significatif que le roman réaliste du temps, héritier de la topique satirique où, depuis Horace, régnaient déjà les figures variées du poète indigent ou du poète courtisan, l'ait reprise et actualisée pour brosser le tableau de la vie littéraire contemporaine, comme on le voit sous la plume de Furetière dans le *Roman bourgeois* (1666). Plus significative encore est l'œuvre de Charles Sorel, qui, après avoir lui aussi esquissé la version satirique de la vie littéraire dans son *Histoire comique de Francion* (1623, 1633) entreprend de la cartographier plus méthodiquement dans les sommes critiques que sont sa *Bibliothèque française* (1664) et *De la Connaissance des bons livres* (1671). Tout cela témoigne de la vitalité d'une littérature qu'on ne songe plus désormais alors à confondre avec la *res literaria* de l'époque humaniste.

L'ultime épisode de la Querelle des Anciens et des Modernes établira bientôt un palmarès des auteurs contemporains (notamment dans le *Parallèle des Anciens et des Modernes* de Charles Perrault, 1688-1697) qui rend tangible et légitime l'existence d'une littérature française constituée. C'est des inflexions de celle-ci qu'il s'agit maintenant de rendre compte.

L'invention de nouveaux genres

Nous espérons avoir montré jusqu'ici comment l'idée de littérature s'est affirmée durant le XVIIᵉ siècle : après avoir vu comment un « champ littéraire » spécifique s'est peu à peu constitué, il convient donc de revenir aux œuvres mêmes qui sont nées de l'activité de ce champ. Notre parcours ne saurait être ici strictement chronologique, car l'essor de différents genres, ou, le plus souvent, les inflexions apportées à des genres déjà existants et définis par la poétique de la Renaissance, ont été simultanés : l'œuvre lyrique de Malherbe est contemporaine de l'œuvre romanesque d'Honoré d'Urfé, de même que les promoteurs d'un théâtre moderne sont souvent aussi les acteurs des débats autour de la poésie nouvelle, et certains romanciers sont aussi dramaturges, comme Georges de Scudéry. Par commodité toutefois, nous adopterons une perspective qui essaiera de mettre en lumière la succession des moments dominants de chaque genre : si on considère que la révolution opérée par Malherbe en matière de poésie est le premier signe d'une « modernité » littéraire, il convient de commencer par envisager la poésie lyrique en premier lieu – avec son envers, la poésie satirique. Ensuite, il semble aller de soi que la réflexion autour du théâtre, encouragée, comme nous l'avons vu, par le pouvoir lui-même à l'époque de Richelieu, permet de voir une autre dominante, qui s'affirme cette fois à partir des années 1630. Les décennies qui vont de la Régence d'Anne d'Autriche au seuil du règne de Louis XIV voient naturellement la scène théâtrale poursuivre son développement – nous sommes alors au début de la carrière de Molière, au cœur de celle de Corneille –, mais elles sont aussi le moment où triomphe le roman héroïque, genre moderne par excellence. La crise de ce modèle va susciter l'essor de nouveaux genres narratifs, et c'est le moment où s'affirme la domination de la nouvelle, laboratoire d'un nouveau romanesque. Au fil du siècle, sous l'impulsion de la réflexion de Montaigne sur la condition humaine, et en réaction aux débats liés à l'affirmation de la Contre Réforme en France, nous voyons apparaître une nouvelle pratique littéraire, celle des moralistes, qui concentre de nombreuses traditions anciennes et sait aussi dialoguer avec les genres modernes, comme la comédie ou le roman.

1. Le lyrisme en question

S'il est vrai, comme nous l'avons vu précédemment, que la pensée de la littérature au xvii⁰ siècle est hantée par la présence de l'éloquence, il n'en demeure pas moins que l'image que l'on associe alors le plus naturellement à cette activité de l'esprit et de la plume est la poésie. Comme le dit la fameuse formule (qui est parfois prêtée à Cicéron), « on naît poète, on devient orateur » (*nascuntur poetae, fiunt oratores*) ; cela conserve toute sa valeur pour les esprits du xviiᵉ siècle, et le prestige de la parole poétique demeure alors ce qu'il a été pour la génération de la Pléiade : être écrivain, c'est avant tout pratiquer les genres reconnus de la poésie, du sonnet à l'élégie en passant par l'ode et la satire.

La réévaluation des poètes du premier xviiᵉ siècle a été liée à l'usage de la notion de baroque (M. Raymond, 1955) : embrassant une période qui commence avec le règne de Henri IV (1594) et s'achève avec la Fronde (1653), on a ainsi relu les œuvres des poètes que Théophile Gautier avait déjà redécouverts à l'époque romantique en les qualifiant de « grotesques » (1844). En situant leur production dans le cadre d'une crise de la pensée morale et religieuse, provoquée notamment par les guerres de religion et par la vision du monde tragique qui en a découlé pour plusieurs générations, puis relayée par le renouveau dévot orchestré par la Contre-Réforme, on a pu ressaisir le sens et la portée de cette poésie aux

images puissantes et parfois paradoxales. Ainsi les poèmes du protes-
tant Jean de Sponde (*Stances de la mort*, 1597) et les sonnets du catholique Jean-Baptiste Chassignet (*Le Mépris de la vie et Consolation contre
la mort*, 1594) ont été redécouverts et analysés à l'aide de cette catégorie esthétique qui valorise l'inconstance, la métamorphose et le mouvement, particulièrement adaptée à une vision sceptique (en dénonçant
les illusions des sens) ou à une méditation sur la mort et la vanité de
la vie : ces thèmes correspondent aux mentalités du temps, et on les
retrouve à l'échelle européenne (par exemple dans *La Vie est un songe* de
Calderón, 1635). Une fameuse anthologie de la poésie baroque française
(J. Rousset, 1968) présente thématiquement un grand choix de poèmes,
de genres variés (cela va des stances au sonnet, en croisant l'épopée ou
la paraphrase des Psaumes) et sur une large période, où des figures
aussi connues que celle d'Aubigné, de Corneille ou de Racine côtoient
des auteurs jusque-là méconnus, comme Claude Hopil (~1585-1633)
ou Laurent Drelincourt (1626-1680). Cela a été l'occasion de remettre
à l'honneur des poètes aussi importants que Saint-Amant (1594-1661)
ou Tristan L'Hermite (~1600-1655), sans compter Théophile de Viau
(1590-1626), que la tradition critique étudiait plutôt jusque-là dans
une perspective d'histoire des idées, à cause de ses liens avec le libertinage de pensée.

La présentation sous forme d'anthologie était d'ailleurs assez fidèle
à la manière dont ces poètes étaient lus de leur temps : en effet, à une
époque où n'existaient pas nos actuelles revues littéraires, la diffusion
des nouveautés poétiques se faisait par la voie de recueils, où étaient
regroupées les poésies diverses de plusieurs poètes : c'est par cette voie
que Malherbe (1555-1628), dont l'œuvre poétique ne fut publiée en
recueil qu'après sa mort, fit connaître sa production de son vivant.
Caractéristique de l'esthétique baroque dont il vient d'être question, un
recueil comme *Les Fleurs de plusieurs excellents Poètes*, qui paraît en 1599,
regroupe des auteurs aussi divers, à nos yeux, que Malherbe, Sponde ou
Jean Bertaut (1552-1611), qui, avec Philippe Desportes (1546-1606),
incarne alors l'héritage de la Pléiade ; à cette date, Malherbe lui-même,
dont ce recueil donne une des premières œuvres (*Les Larmes de saint*

Pierre, composé en 1587 pour Henri III), est encore « baroque » ; il va devenir bientôt le poète favori de Henri IV – qui a apprécié sa *Prière pour le roi allant en Limousin* (1605) – , et c'est dans ce cadre qu'il va défendre une doctrine en rupture ouverte avec celle de la Pléiade : une de ses premières victimes est justement Desportes, dont Malherbe annote sans indulgence les *Œuvres* (publiées en recueil en 1606), en relevant, vers après vers, ce qu'il considère comme des fautes de langue et de versification. Vingt ans plus tard, l'« école » de Malherbe, qui a triomphé entretemps, fait entendre sa voix par le biais du *Recueil des plus beaux vers* (1627), trois ans avant que le *Discours* de son jeune disciple Antoine Godeau (1605-1672), qui est placé en tête des *Œuvres de François de Malherbe* (1630), ne le consacre comme le maître de la modernité poétique. Si elle ajoute des poésies qui n'avaient circulé jusque-là que sous forme manuscrite, cette édition posthume regroupe surtout des pièces qui avaient déjà paru dans des recueils collectifs entre 1597 et 1627, diffusant largement l'œuvre et la doctrine du poète. Ces mêmes recueils (*Le Parnasse des plus excellents poètes de ce temps*, 1607, *Les Délices de la poésie française*, 1615, entre autres) avaient aussi permis aux élèves du maître, dont les plus connus sont François Maynard (1582-1646) et Honorat de Racan (1589-1670), de faire paraître leurs premières pièces.

Ils ont ainsi contribué à diffuser le modèle de lyrisme que défendait Malherbe : renonçant aux hyperboles et aux oxymores qui caractérisaient encore le style pathétique des « Larmes de saint Pierre », le poète qui célèbre désormais la figure héroïque du roi préfère l'ordre et la clarté, en accordant le vers avec les exigences de la syntaxe et la précision du lexique. Soucieux de purisme, Malherbe veut tout d'abord « dégasconner » le français ; contrairement ce que prescrivaient Ronsard et Du Bellay, qui voulaient enrichir la langue avec tous les mots possibles, Malherbe désire la purifier : il préconise un vocabulaire proche de l'usage courant, refuse tous les termes techniques ou d'origine provinciale, ainsi que les mots vieillis (archaïsmes) ou les mots nouveaux (néologismes). Ce que le vocabulaire perd en diversité, il le gagne en précision et en rigueur. La syntaxe doit, elle aussi, être la plus proche possible de l'usage, c'est-à-dire de la prose de son temps ; pour ce faire,

Malherbe bannit les phrases trop complexes, les inversions qui obscurcissent le sens ou les ruptures de construction. Le goût de la surprise, la pratique d'une rhétorique spectaculaire sont supplantés par la rigueur d'une phrase clairement hiérarchisée et dont les propositions se succèdent avec ordre et clarté. Concernant l'art du vers, les hiatus et les enjambements sont proscrits, ainsi que les chevilles trop faciles ou les élisions. Le souci majeur de Malherbe est la beauté sonore (un beau vers doit se prononcer facilement), mais aussi la clarté de compréhension : syntaxe et vers doivent correspondre, il faut mettre des ponctuations fortes régulièrement. Cela conduit naturellement Malherbe à donner des règles précises concernant les strophes, qui doivent avoir une unité de sens, et marquer des pauses fortes (3ème vers pour le sizain, 4ème pour le huitain, 4ème et 7ème pour le dizain). Du point de vue musical, l'alternance des rimes masculines et féminines, choisies avec soin, devient la règle. Enfin l'alexandrin doit être coupé systématiquement par une césure à l'hémistiche.

La « leçon » de Malherbe a été dégagée après coup, et elle n'a pas été adoptée par tous les poètes du temps ; l'âge de Henri IV et les premières années du règne de Louis XIII sont en effet des années de grande liberté poétique : les imitateurs de la Pléiade demeurent, notamment en province, et les figures de Ronsard – dont paraît encore une édition des *Œuvres* en 1623 – ou de Du Bartas continuent de briller au firmament des Lettres, particulièrement dans les milieux savants attachés à la culture humaniste. Même critiqué par Malherbe, Desportes n'est pas éclipsé du jour au lendemain, et le raffinement de sa poésie néo-pétrarquiste ouvre une filiation directe avec le maniérisme qui prévaut dans les années 1630, à l'école du poète italien Marino (*Adone*, 1623) : un Saint-Amant (*Œuvres*, 1629) ou un Tristan L'Hermite (*Plaintes d'Acante*, 1633, *La Lyre*, 1641) infléchissent l'héritage malherbien dans le sens du conceptisme, combinant le purisme et l'écriture ingénieuse. Dans son *Moyse sauvé* (1653), « idylle héroïque » d'inspiration biblique, Saint-Amant peut encore se réclamer des leçons de *La Semaine* de Du Bartas (1578). Plus encore, un contemporain comme Théophile de Viau affirme que « Malherbe a très bien fait, mais il a fait pour lui » (« Élégie à une Dame », 1620) ; avant lui, Mathurin Régnier (1573-1613), qui était le neveu de Desportes, avait contesté les prétentions régulatrices de Malherbe, notamment dans sa fameuse satire ix (dédiée au poète néo-latin Nicolas Rapin), où il défend l'héritage de Ronsard, c'est-à-dire une poésie inspirée fondée sur le génie et nourrie de l'imitation des Anciens.

De fait, le renouveau du genre satirique, dont l'œuvre de Régnier donne le signal (*Premières œuvres*, 1608) va nourrir une floraison de recueils durant les années contemporaines du « règne » de Malherbe : *Les Muses gaillardes* (1609-1613), *Le Cabinet Satyrique* (1618), *Le Parnasse des poètes satyriques* (1622) associent la verve satirique à la poésie licencieuse – dont les excès aboutissent au procès de Théophile, à la suite de la condamnation de ce dernier recueil, en 1623. Théophile n'échappe au bûcher que grâce à la protection du duc de Montmorency, avant de mourir des suites d'un éprouvant séjour en prison (1623-1625), où a il écrit ses dernières œuvres. Ce procès marque un coup d'arrêt pour le libertinage le plus ouvert, mais il n'empêchera pas la tradition poétique de conserver des liens plus ou moins étroits avec la tradition épicurienne (déjà présente chez Horace), que relaiera, au fil du siècle, le goût affirmé de la poésie de la nature (chez Saint-Amant notamment) avant de s'épanouir pleinement dans l'œuvre de La Fontaine. Dans la continuité de Régnier, il convient aussi de faire une place à la tradition plus morale des « satiriques normands » (appellation due à l'origine géographique de ces auteurs, par ailleurs assez divers dans leur style et dans leur inspiration) : témoins des abus et des désordres de la société de leur temps – les années de régence de Marie de Médicis –, Thomas Sonnet de Courval (*Œuvres satiriques*, 1622), Jean Auvray (*Le Banquet des Muses*, 1623) ou Jacques Du Lorens (*Satyres*, 1624 et 1633, rééditées en 1646) dressent un tableau sombre des hommes et des institutions, avec l'espoir que l'indignation poétique, à la manière de Juvénal, y portera remède.

Dans les années qui suivent, l'héritage de Malherbe s'impose plus nettement : il est accepté avec d'autant plus de facilité qu'il correspond à un goût de plus en plus affirmé, dans le public, pour le purisme en matière de langage. Le bon usage, qui est alors défini par Vaugelas et promu par Balzac (voir ci-dessus, p. 44), est en effet une des traces patentes de l'influence de Malherbe sur la culture du temps. La poésie doit donc se couler dans les mêmes exigences que celle de la bonne société où l'on se plaît désormais à discuter sur les minuties du langage : l'Hôtel de Rambouillet, où se font et se défont les réputations poétiques durant les années 1630-1640, est un des creusets de la poésie mondaine qui triomphe alors : Vincent Voiture (1597-1648) est le parfait représentant du genre ; ses poésies circulent dans le cercle des habitués (elles ne seront publiées en recueil qu'après sa mort, par son neveu Pinchesne, en 1650), et elles font écho aux circonstances particulières de la vie mondaine, prolongeant en vers l'esprit de la conversation. Témoignage de cette poésie mondaine à diffusion restreinte, la fameuse *Guirlande de Julie*, recueil de madrigaux offert en 1641 à la fille de Mme de Rambouillet, Julie d'Angennes (dans un somptueux manuscrit calligraphié et décoré), regroupe les pièces écrites par les habitués du lieu, qu'ils fussent poètes reconnus (Chapelain, Colletet, Godeau, Scudéry) ou d'occasion.

La poésie est donc bien alors devenue un des vecteurs de la mondanité, au même titre que l'art de la conversation ou celui du genre épistolaire : cette culture du « loisir mondain » (Génetiot, 1997) qui promeut le naturel et bannit l'affectation est un des fondements de l'idéal que nous qualifions aujourd'hui de « classique ». Variante esthétique de l'« honnêteté » qu'avait élaborée la génération des Guez de Balzac et des Faret, la galanterie, qui est le terme qui définit le mieux cette culture moderne aux confins de la maîtrise littéraire et de l'élégance mondaine, est la catégorie aujourd'hui couramment utilisée pour rendre compte de ce moment spécifique et des productions littéraires qui lui sont liées. On peut y voir l'affirmation d'une sociabilité dégagée des urgences de la vie politique – au moment où éclate la Fronde –, et de fait, après 1653, les élites aristocratiques, auxquelles le pouvoir impose désormais un retrait dans l'espace privé, vont cultiver ce loisir lettré dans les salons, qui se multiplient durant cette décennie, ou dans les retraites campagnardes où se réunissent volontiers les « compagnies » à la belle saison. C'est à l'occasion de la mort de Jean-François Sarasin, en 1654, que, dans un discours qu'il met en tête des *Œuvres* de son ami (1656), Pellisson décrit les valeurs de cette esthétique enjouée et plaisante, cultivant un épicurisme souriant et fuyant tout pédantisme, dont le poète était, selon lui, le modèle exemplaire. Proche de ce milieu, La Fontaine, qui va bientôt affirmer son talent sous la protection de Nicolas Fouquet, reprendra bientôt cet héritage, pour lui redonner toute sa force en plein âge louis-quatorzien.

2. Le triomphe du théâtre

La vie théâtrale s'est lentement développée en France au XVIIᵉ siècle, en raison des troubles politiques qui ont suivi la mort d'Henri IV (voir ci-dessus, p. 16). À partir des années 1620, le retour progressif à l'ordre permet à la vie artistique et théâtrale de renaître, à la fois en province et à Paris. Quatre genres sont alors en concurrence sur la scène théâtrale : la pastorale, la tragi-comédie, la comédie et la tragédie. La pastorale est un genre venu d'Italie (Le Tasse, Guarini) : la convention y met des bergers et des bergères en scène, et le fil principal de l'intrigue est l'amour ; la fin en est heureuse (elle voit en général la réunion du couple d'amants que différents obstacles et péripéties ont séparés). D'invention moderne elle aussi, et d'inspiration romanesque, la tragi-comédie domine largement la scène dans les premières décennies du siècle, jusqu'à ce que la tragédie régulière la supplante, au nom de la distinction nette entre les genres. Les années 1630-1640 voient l'apogée de cette nouvelle forme : le *Cid*, dans sa première version, est présenté comme tragi-comédie ; la tragédie à fin heureuse va peu à peu lui succéder, et la comédie héritera de bien de ses traits romanesques. Les sujets sont en effet souvent tirés de la matière romanesque, les personnages appartiennent à différents milieux sociaux, et les moments comiques alternent avec les moments pathétiques. Ce mélange des genres et des tons déplaira peu à peu au goût du public des « honnêtes gens », après avoir été dénoncé par les « doctes », mais, comme pour la pastorale, le romanesque survivra, notamment dans l'opéra et dans la tragédie galante. La comédie est fondée elle aussi sur les intrigues amoureuses, et elle met en scène des personnages de condition moyenne (des « bourgeois », dans un cadre urbain) ; elle se moque des travers de la société. Le grand modèle du genre est le poète latin Térence (voir ci-dessus, p. 36), souvent imité par la comédie humaniste du siècle précédent, et goûté pour son art de peindre les caractères et par l'élégance de son style. Cependant, une nouvelle fois, l'influence de l'Italie et de l'Espagne se fait sentir dans ce domaine comme dans celui de la pastorale : les dramaturges puisent dans les canevas de la *commedia dell'arte* italienne ou dans le répertoire des *comedias* espagnoles pour construire leurs intrigues. Il ne faut toutefois pas négliger la tradition de la farce qui est très vivace, et qui est au cœur du métier et des techniques d'acteurs (comme le prouve le succès de Gros-Guillaume ou de Gaultier-Garguille, au sein de la troupe des comédiens du Roi) : c'est elle qui domine nettement la scène comique du début du siècle ; Corneille, qui doit ses premiers succès à la comédie (*Mélite*, 1629), s'applique à développer une comédie plus « honnête » et plus régulière, où l'élégance du ton et la justesse psychologique dominent. Enfin, la tragédie, qui avait connu une renaissance brillante sous l'influence de la Pléiade (comme le montre l'œuvre imposante de Robert Garnier, 1545-1590) avait connu un certain déclin, face au succès de la tragi-comédie. Les débats des années 1625-1632 voient s'opposer les partisans de la liberté et du réalisme de la tragi-comédie aux « doctes » (voir ci-dessus, p. 49) qui mettent en avant l'exigence de règles, particulièrement celle de la vraisemblance, qui veut plaire au bon sens, et celle des bienséances, qui veut satisfaire le bon goût.

Alors que l'œuvre d'Antoine de Montchrestien (~ 1575-1621) triomphe avec des tragédies irrégulières à sujets historiques (*Sophonisbe*, 1596 et 1601, *L'Écossaise*, 1601), mythologiques (*Hector*, 1604) ou bibliques (*David*), et avec la pastorale (*La Bergerie*, 1601), la production intensive d'Alexandre Hardy (~1572-~1632) domine peu à peu la scène : poète aux gages des comédiens, il fournit un répertoire à la troupe de Valleran Le Conte, qui est installée à l'Hôtel de Bourgogne (le seul lieu autorisé à Paris pour les représentations théâtrales). Il aurait écrit plus de 800 pièces (on n'en conserve que 33, qui ont été imprimées dans son *Théâtre*, entre 1624 et 1628). S'il se réclame de la tradition de Garnier et de l'héritage de la Pléiade, il est surtout un auteur soucieux des attentes de son public, et véritable « homme de théâtre » avant d'être poète dramatique. Il conserve donc les songes prophétiques de la tragédie humaniste, ainsi que les chœurs sur scène et les grandes tirades morales ornées de sentences, mais il goûte les scènes spectaculaires, avec des morts violentes et des passions excessives : le pathétique et les émotions fortes sont les principaux effets de son théâtre, plus que la construction d'une intrigue.

L'autre grand dramaturge qui invente un théâtre moderne à cette époque est Jean Mairet (1604-1686) : protégé du duc de Montmorency et ami de Théophile de Viau, il est un des premiers défenseurs de la tragédie régulière. La pension que lui verse le duc et la vie à Chantilly va lui permettre de se consacrer à son art ; s'il a vécu plus de quatre-vingts ans, sa production dramatique est concentrée sur ses jeunes années, de 1623 à 1641. La mort de ses protecteurs, Montmorency (exécuté pour rébellion en 1632, comme nous l'avons vu), puis le comte de Belin – un des grands protecteurs des acteurs et du théâtre à cette époque – qui meurt en 1637, explique peut-être ce retrait progressif de la scène. Son œuvre demeure remarquable par sa variété et sa richesse, malgré le nombre restreint de pièces (douze au total). Il excelle dans la composition de tragi-comédies aux sujets divers, d'inspiration pastorale (*Sylvie*, 1626 ; *La Silvanire*, 1630) ou historique (*Marc Antoine*, 1635). Malgré le triomphe de sa tragédie *Sophonisbe* (1634) – où il est un des premiers à introduire l'histoire romaine sur la scène tragique – sa gloire est peu à peu éclipsée par celle de Corneille, contre lequel il prend position en déclenchant la querelle du *Cid*.

Le principal inventeur de la modernité théâtrale en France est en effet Pierre Corneille (1606-1684) : il impose d'abord le genre de la comédie, à qui il doit ses premiers succès (*Mélite*, 1629, *La Veuve*, 1632, *L'Illusion comique*, 1635). Il a véritablement implanté la dramaturgie espagnole dans le cadre parisien, pour plaire au public français et moderne qui fréquentait alors la toute nouvelle Place Royale (l'actuelle place des Vosges). Issu d'une famille aisée de Rouen, Pierre Corneille a fait de brillantes études chez les Jésuites, puis s'est orienté vers des études de droit qui le mènent rapidement à une carrière d'avocat (1624). En 1629, il confie à la troupe de Montdory, de passage à Rouen, le manuscrit de *Mélite*. Le succès que cette comédie rencontre à Paris l'incite à poursuivre la carrière dramatique. De 1631 à 1634, il conquiert le public parisien avec une tragi-comédie (*Clitandre*, 1631) et quatre brillantes comédies, dont *La Veuve* et *La Place Royale* (1634). Accueilli dans le groupe des cinq auteurs que Richelieu a réuni autour de lui pour promouvoir un théâtre à son goût (voir ci-dessus, p. 20), Corneille choisit le genre encore peu pratiqué de la tragédie, avec sa *Médée* de 1635. Il fait ensuite l'apologie du théâtre dans *L'Illusion comique*, comédie virtuose reposant sur le procédé de théâtre dans le théâtre. Rendu déjà célèbre par ses comédies, Corneille parvient au véritable triomphe avec *Le Cid*, tragi-comédie qui remporte un succès sans précédent (1637), malgré les réserves des doctes, qui n'y trouvent pas suffisamment de respect pour les règles. La série des grandes tragédies démentira ces critiques, puisque, dès 1640 et jusqu'en 1651, Corneille remporte de nombreux succès, s'imposant dans la tragédie comme il l'avait fait précédemment dans la comédie : *Horace* (1640), *Cinna* (1642), *Polyeucte* (1642), *La Mort de Pompée* (1643) sont autant de variations sur l'héroïsme, si sensible au goût du temps (voir ci-dessus, p. 24). La désaffection progressive pour l'idéal aristocratique et héroïque est provoquée par la Fronde : *Nicomède* (1651) a connu un succès éclatant, mais sa portée politique a déplu au pouvoir. L'échec de *Pertharite* lors de la saison suivante (1651-1652) le contraint à se retirer de la scène pour quelques années. Il revient sous la protection de Fouquet, à qui il dédie son *Œdipe* en 1659.

L'importance de Corneille pour l'histoire du théâtre réside non seulement dans ses réalisations, mais aussi dans son œuvre de théoricien, au seuil des années 1660. C'est en effet dans les *Discours* qui accompagnent l'édition de ses *Œuvres* en 1660 qu'il donne la définition la plus réfléchie de sa dramaturgie. Après la chute de Fouquet, il continue

– sous la protection du roi lui-même – à chercher de nouvelles formules et à inventer de nouvelles situations ; de plus, il se trouve désormais en concurrence avec l'étoile montante de la nouvelle dramaturgie : Jean Racine. Mais sa production des années « classiques », qu'il ne faut pas négliger (par exemple *Pulchérie* en 1672, et *Suréna* en 1674), malgré sa réelle nouveauté, ne répond plus au goût du public des années 1670 ; c'est pourquoi Corneille se retire à l'âge de soixante-neuf ans.

Son seul rival à l'heure de sa gloire a été Jean Rotrou (1609-1650) ; sans jamais quitter sa charge (juriste de formation, il était lieutenant particulier au baillage de Dreux, depuis 1639), Rotrou travaillait en effet pour l'Hôtel de Bourgogne, à qui il fournit régulièrement des pièces (de son propre aveu, une trentaine de pièces entre 1628, date de ses débuts, à 1634) ; il en produit encore une vingtaine entre 1634 et 1650, parmi lesquelles on compte des réussites majeures comme *Le Véritable Saint-Genest* (1645-1646), *Venceslas* (1647) ou *Cosroès* (1648). Rotrou a pratiqué tous les genres, comédie, tragi-comédie et tragédie. Hardi dans ses nouvelles conceptions dramatiques, à la recherche de formules susceptibles de plaire au public, il ne craint pas les effets puissants et il a l'art de construire des intrigues complexes.

L'évolution du théâtre pendant le premier dix-septième siècle a abouti à la mise en place progressive des règles. Leur intérêt est d'être avant tout une exigence mise en œuvre par les auteurs, même si elles sont formulées le plus souvent par des théoriciens (La Mesnardière, *Poétique*, 1639, d'Aubignac, *La Pratique du théâtre*, 1657, Rapin, *Réflexions sur la Poétique d'Aristote*, 1674). Si les règles plaisent aux dramaturges, c'est justement parce qu'elles contribuent à une plus grande efficacité théâtrale. Corneille notamment a su montrer, aussi bien dans la comédie que dans la tragédie, tout ce que le respect des règles apportait à sa dramaturgie.

Quelles sont donc ces principales « règles » ? Tout d'abord, il est question des unités, qui regardent la structure dramaturgique (temps, lieu, action) ; ensuite il est question de la vraisemblance et des bienséances, qui regardent, à un degré plus élevé, la conception même de l'art théâtral et de sa fonction.

L'unité d'action est la première condition pour concentrer l'attention du public sur une seule intrigue, ce qui conduit à supprimer toutes les actions secondaires qui abondaient, tant dans les comédies espagnoles que dans la tragédie irrégulière. De *L'Illusion comique*, dont la structure est très complexe, à *Suréna*, où le fil est simple et clair, l'évolution du théâtre de Corneille témoigne du souci grandissant de simplifier l'intrigue ; Racine portera à l'excellence ce principe de simplification. Pour ne pas provoquer d'invraisemblance par rapport au temps réel ressenti par le public, les dramaturges ont eu le souci de placer l'action dans une durée proche de ce temps vécu. Cela remet en cause les intrigues romanesques qui s'étendaient sur plusieurs années, voire sur la vie entière d'un héros. D'où l'habitude prise de respecter la règle des vingt-quatre heures, avec la coïncidence de la durée réelle de chaque acte et de la durée de l'action fictive, les entractes représentant les actions et les moments qui ne se passent pas sur scène. La pièce est ainsi centrée sur le moment critique de l'intrigue (la « crise »).

La concentration de l'action et du temps entraîne naturellement un même effort d'unité pour ce qui regarde le lieu (pour des raisons identiques de vraisemblance) : la scène que le spectateur a sous les yeux représente donc un lieu unique, place d'une ville ou intérieur d'une maison (comédie), salle du trône ou appartement dans un palais (tragédie) : le décor demeure d'ailleurs très abstrait ; c'est ce qu'on appelle une pièce « à volonté ». *Le Cid* se passait dans quatre lieux différents ; dès *Horace*, l'action se passe « à Rome, dans une salle de la maison d'Horace ». Confinée dans un lieu, la crise tragique gagne en puissance ; cela culmine dans l'œuvre de Racine, qui va jusqu'à l'enfermement du huis clos (*Bajazet*, 1672).

Le souci de vraisemblance est au cœur du dispositif : il s'agit de ne pas choquer le bon sens du public et de ne pas briser l'illusion parfaite que doit produire l'action sur scène (Chapelain se fait le théoricien de cette « vraisemblance absolue », voir ci-dessus, p. 49). Corneille insistait sur le fait que le vrai n'était pas forcément vraisemblable, comme le montre l'Histoire, sur laquelle il s'est souvent appuyé (*De l'utilité et des parties du poème dramatique*, où il oppose vérité historique et vraisemblance de l'invention dramatique, 1660). Dans le *Discours de la Tragédie* (1660), Corneille réfléchit sur les rapports entre le vraisemblable et le nécessaire dans la composition des intrigues. En fin de compte, le vraisemblable, parce qu'il atteint à la généralité, permet de créer des personnages et des situations exemplaires ; comme le notera un critique, le Père René Rapin : « La vérité ne fait les choses que comme elles sont ; et la vraisemblance les fait comme elles doivent être » (*Réflexions sur la Poétique d'Aristote*, 1674).

L'autre versant de cette exigence à l'égard du public est le respect des bienséances : elles sont de deux ordres. Le premier est celui de la convenance morale, c'est ce qu'on appelle les bienséances externes, qui visent à ne pas choquer le public, notion qui vient du *decorum* rhétorique (art de s'adapter à son auditoire et à ce qu'il attend). Les bienséances externes impliquent qu'on ne se bat pas sur scène, qu'on n'y mange pas ou qu'on n'y meurt pas ; elles imposent aussi le registre stylistique qui convient à chaque genre (un Prince ne parle pas comme un bon bourgeois de Paris). Le second ordre est celui de la cohérence du caractère des personnages mis en scène, c'est ce qu'on appelle les bienséances internes ; cette notion hérite de l'anthropologie et de la morale traditionnelles (celle d'Aristote et de Théophraste) qui fondent l'interprétation classique de la psychologie humaine ; les bienséances internes expliquent le souci de l'unité des caractères, qui fait que chaque personnage se développe selon une logique propre au caractère qui lui est donné au départ, et que l'intrigue forme un tout cohérent, fondé sur la psychologie et les volontés des personnages (avec le refus progressif des interventions extérieures, tel le *deus ex machina* cher à la tragédie antique),. C'est aussi en cela que le théâtre classique apparaît justement comme une investigation de l'âme humaine, et que les grands débats qui animent le tragique racinien sont avant tout d'ordre psychologique.

L'intensité de la réflexion théorique autour de la tragédie régulière est complémentaire des solutions dramaturgiques qu'a pu trouver un acteur-auteur comme le fut Molière (Jean-Baptiste Poquelin, 1622-1673). Il convient en effet de rappeler que Molière fut avant tout un homme de métier et que son écriture théâtrale doit l'essentiel à son

expérience d'acteur. Il connaît grâce à elle les principaux rôles du répertoire, comique ou tragique, puisqu'il a joué aussi bien les comédies de
Scarron (*Jodelet*) que les comédies ou les tragédies de Corneille. Après
avoir été tenté par le registre tragique, Molière a su adapter son écriture à son talent : en se concentrant sur la comédie, il a su en exploiter
toutes les possibilités, réussissant aussi bien dans la farce que dans la
grande comédie qu'il a largement inventée. Il a conservé le goût pour la
farce même après ses plus grands succès dans le registre plus élevé de
la comédie « de caractère » : *Les Fourberies de Scapin* (1671) est une de
ses dernières pièces. La farce avait fait ses premiers succès (*La jalousie
du barbouillé* date de 1646) ; cette grande diversité de l'œuvre a frappé
Boileau qui, dans son *Art poétique*, lui reproche de mêler des inspira-
tions aussi diverses que celle du *Misanthrope* et celle des *Fourberies* (v.
Chant III, v. 390 et suivants). Pour Molière, cela importait peu, pourvu
qu'il parvînt à plaire à son public. De même il a constamment recherché
la réalisation d'un théâtre total (voir ci-dessus, p. 28), mêlant comédie
et musique, de *Monsieur de Pourceaugnac* (1669) au *Malade imaginaire*
(1673).

Le triomphe des *Précieuses ridicules* (pièce en prose, jouée le
18 novembre 1659) avait inauguré son succès parisien, et la faveur du
roi. Il va dès lors de succès en succès, alliant une activité d'acteur et
de directeur de troupe à sa production d'écrivain. En 1661, la troupe
s'installe au Palais-Royal, où vient de s'ouvrir un nouveau théâtre. La
critique des mœurs et la satire sociale valent peu à peu des ennemis à
Molière ; la première grande querelle qu'il provoque est celle de *L'École
des femmes* (1662). Il y répond par la *Critique de l'École des femmes* et
par l'*Impromptu de Versailles*, où il expose sa doctrine en matière de
comédie et se moque des autres troupes de théâtre. Le second scandale est celui du *Tartuffe*, joué devant la Cour, avec succès, en 1664,
(dans une première version qui est perdue aujourd'hui) ; la pièce est
interdite, malgré la protection du roi, sous la pression des dévots qui
se sont sentis visés. Mais cela n'empêche pas Molière de continuer à
bénéficier de la faveur royale, et du succès : *Amphitryon* est joué, avec
George Dandin, lors du Grand Divertissement royal de Versailles en

1668. *Dom Juan*, attaqué une nouvelle fois par les dévots (1665), *Le Misanthrope* (1666), qui passe alors pour sa meilleure pièce, *L'Avare* (1668) sont autant de chefs-d'œuvre, même s'ils déconcertent parfois le public, tant par les idées, que pour la forme (Molière utilise volontiers la prose, ce qui est une nouveauté). Son succès lui permet de rejouer le *Tartuffe* en 1669.

Dès *Les Précieuses ridicules*, Molière a cherché à combiner le triple héritage de la comédie italienne, de la farce et de la comédie burlesque. De la farce, il retient le déguisement et le mécanisme du tour que l'on joue à un personnage, du burlesque il conserve le goût pour la satire de mœurs et la comédie italienne lui donne le personnage du valet (comme les Arlequins de la comédie italienne), mâtiné du *gracioso* de la *comedia* espagnole : Molière s'en souvient notamment avec ses différents Sganarelle, dont il joue d'ailleurs le rôle. D'autre part, il a inventé – à la suite de Scarron – le système du jeu autour d'un personnage ridicule qui, par l'aberration de son comportement, devient l'obstacle à la vie normale de ses proches, voire à l'amour de ses enfants. Les mauvais tours, par lesquels on lui remet les pieds sur terre, sont dans la tradition farcesque (que l'on songe aux astuces de Toinette dans *Le Malade imaginaire*). La satire s'accentuera nettement avec *Le Tartuffe*, qui conserve pourtant une scène fameuse de farce (IV,5, où Orgon est caché sous la table), et elle domine dans *Le Misanthrope*, avec sa galerie de portraits et sa description d'un salon mondain. Habile à mêler la satire de mœurs et la satire personnelle, Molière, en développant son intrigue sur un canevas efficace de mariage contrarié cher à la tradition comique, implante le mécanisme intemporel du piège farcesque (v. *Tartuffe*) dans une actualité vivante ; cela explique à la fois son succès à l'époque et le goût que le public d'autres temps peut y prendre. À la fois miroir tendu au public contemporain et réflexion sur la nature humaine en général, la comédie moliéresque a été jugée digne, dès son époque, de rejoindre le Parnasse des grands auteurs, comme le notait La Fontaine dans l'épitaphe qu'il lui dédie :

> Sous ce tombeau gisent Plaute et Térence,
> Et cependant le seul Molière y gît.

3. L'essor du roman

L'idéal romanesque au XVIIe siècle s'appuie sur une triple tradition, celle des « Romans » de Chevalerie (en vers), celle de la pastorale, et celle du roman grec. Parmi les romans de chevalerie, un des plus célèbres pendant tout le XVIe siècle a été l'*Amadis de Gaule* (œuvre inspirée des romans de la Table ronde, publiée en espagnol en 1508 et traduite en français à partir de 1540) : les exploits guerriers, la grandeur des sentiments et l'héroïsme presque inhumain des personnages en sont les principaux caractères. L'univers de la pastorale, réinventé en Italie par Sannazaro et Le Tasse (voir ci-dessus, p. 40) évoque un monde plus pacifique, où évoluent des bergers et des bergères qui ne s'occupent que d'amour. Cette tradition bien établie avait été enrichie par celle du roman grec, redécouvert avec enthousiasme par la Renaissance et dont Amyot avait donné des traductions destinées à un grand succès, les *Éthiopiques* d'Héliodore (1547) et le roman pastoral de Longus, *Daphnis et Chloé* (1559). La préface (« proesme ») qu'Amyot rédige en tête du roman d'Héliodore peut apparaître comme une des premières poétiques du roman en français, et nombre de théoriciens s'y réfèrent encore au siècle suivant.

La somme qui fait la synthèse de cet héritage complexe au seuil du XVIIe siècle est le roman pastoral d'Honoré d'Urfé (1567-1625), l'*Astrée*. Il n'est pas exagéré de dire que tout l'imaginaire romanesque du XVIIe siècle découle de ce monument, dont les cinq parties paraissent entre 1607 et 1628 (dernière partie rédigée par Baro, le secrétaire d'Urfé). Le fil principal de l'intrigue est l'amour du berger Céladon et de la bergère Astrée qu'une tragique méprise a séparés au début du roman. Les types opposés de l'inconstant Hylas et du platonique Silvandre préparent toute la réflexion du siècle sur la psychologie amoureuse. Les nombreuses histoires enchâssées dans le cours du récit principal – dont certaines incluent des épisodes chevaleresques –, le mélange de prose et de poésie font de l'Astrée une somme de formes et de thèmes qu'exploiteront les différentes voies du roman et de la poésie galante, voire du théâtre même, jusqu'à la fin du siècle.

De fait, ce roman est, à bien des égards, l'œuvre de toutes les synthèses : relais du néo-platonisme de la Renaissance, il offre au XVIIe siècle qui va le lire avec passion une philosophie de l'amour, qui prolonge et infléchit la tradition médiévale des « questions d'amour », et il modernise ainsi la tradition courtoise, préparant l'art de la casuistique sentimentale chère aux « précieuses » à venir, à commencer par Madeleine de Scudéry. La palette des genres qu'il offre au fil de sa narration constitue le moule de toute une littérature mondaine qui va bientôt triompher dans les ruelles : lettres, poèmes, conversations, descriptions. C'est dire aussi que ce roman consacre bien une des vocations essentielles du genre, celui d'être un laboratoire de la langue de son temps : avant Vaugelas et les « remarqueurs », d'Urfé se fait déjà l'écho de la parole vive d'une société raffinée, qui cherche à saisir toutes les nuances de la pensée et des affects à l'aide d'une langue française encore en plein essor. Enfin, en posant la question du choix de vie (entre l'habit de berger et les armes de chevalier), qui était déjà présente au seuil des *Bucoliques* virgiliennes, et qui correspond aux enjeux réels des philosophies morales de l'antiquité – où chaque « école » se présentait avant tout comme une « vie » philosophique – d'Urfé l'inscrit dans les préoccupations contemporaines nées de la Réforme catholique, qui posait elle aussi la question d'une vie chrétienne qui ne renonçât pas au monde pour autant, comme en témoigne, exactement à la même époque, *L'Introduction à la vie dévote* de François de Sales.

À la suite de la somme d'Honoré d'Urfé, de vastes romans aux intrigues complexes et aventureuses qui puisent leurs sujets dans l'Histoire fleurissent entre 1619 et les années 1660 ; ils racontent en effet sur des milliers de pages les aventures de personnages antiques (Clélie, Cléopâtre, Cyrus) ou médiévaux (Faramond, premier roi légendaire de France). Ils reprennent la tradition chevaleresque des *Amadis* et s'inspirent des épopées italiennes (notamment *La Jérusalem délivrée* du Tasse, à qui ils empruntent la structure épique) ou des romans grecs. Les principaux auteurs de ce genre sont La Calprenède (1610-1663) qui publie *Cassandre* (10 volumes de 1642 à 1645), *Cléopâtre* (12 volumes, 1646-1657), puis *Faramond* (12 volumes, 1661-1670), Gomberville

(1600-1674), dont le *Polexandre*, publié en 1619 est profondément remanié à plusieurs reprises jusqu'en 1638, enfin Georges et Madeleine de Scudéry (1601-1667 et 1608-1701), qui, après la première tentative d'*Ibrahim* (1641), rencontrent un succès durable avec *Artamène ou le Grand Cyrus* (10 volumes de 1649 à 1653) puis *Clélie, Histoire romaine* (10 volumes, 1654-1660). C'est à cette dernière que l'on doit la tendance accentuée des romans vers l'analyse psychologique, rendue célèbre par la représentation allégorique de la Carte du Tendre (au début de la *Clélie*). On comprend donc que, si le roman héroïque emprunte sa structure spécifique au roman grec et à l'épopée, avec le début *in medias res*, les retours en arrière et les multiples histoires insérées, il doit à la pastorale le goût pour l'analyse des sentiments et la « casuistique » amoureuse, qui sont bien au cœur de la lyrique d'inspiration bucolique, et que d'Urfé a contribué, en France, à ancrer au cœur du projet romanesque. Le roman héroïque trouve en Pierre-Daniel Huet (1630-1721) son théoricien lorsqu'il place sa *Lettre-traité sur l'origine des romans* en tête de *Zayde* de Mme de Lafayette (1670).

Face à cette idéalisation de l'humanité, la réaction ne se fait pas attendre : dès 1623, Charles Sorel (1599?-1674) écrit son *Histoire comique de Francion* où il choisit la veine réaliste et satirique et où il campe des personnages de l'humanité ordinaire ; il conserve toutefois les éléments d'une quête idéale de la générosité et la libre-pensée y apparaît à plus d'un endroit – comme le suggère le nom du héros, qui est « franc » c'est-à-dire libre de toute entrave. En revanche, Sorel se moque tout à fait de l'idéal romanesque dans *Le Berger extravagant* (1627) où le personnage principal, un jeune bourgeois de Paris, se prend pour un héros de l'Astrée. La parodie qui fait de cette œuvre un « anti-roman », explicitement inspiré du modèle espagnol de *Don Quichotte* sera reprise pendant tout le siècle, notamment par Scarron, dont *Le Roman Comique* (1651-1657) cherche un juste milieu entre les excès du burlesque et l'invraisemblance de l'héroïsme ; cette veine culminera dans *Le Roman bourgeois* de Furetière (1619-1688), qui prend systématiquement à contrepied les idéaux amoureux du roman traditionnel en décrivant des problèmes concrets de mariage et d'argent. Ce réalisme satirique ne doit pas faire oublier qu'au début du siècle, le goût pour un réalisme cruel et terrifiant avait dominé la production d'un François de Rosset (1570?-1619? : *Histoires tragiques*, 1614) ou d'un Jean-Pierre Camus (1584-1652); le second, évêque de Belley, s'appuyait sur cette littérature de « fait divers » pour édifier son public en l'effrayant avec le récit de crimes horribles; les *Spectacles d'horreur* (1630), par exemple, s'inspirent des annales judiciaires et on a retrouvé les faits réels auxquels ils se réfèrent. À l'extrême opposé, et plus tard dans le siècle, l'œuvre originale de Savinien de Cyrano de Bergerac (1619-1655) se tourne vers l'imagination et le fantastique pour inventer un autre monde, sur la Lune ou sur le Soleil (*Histoire comique des États et empires de la Lune*, 1657; *Histoire comique des États et empires du Soleil*, 1662). La cruauté comme la science-fiction n'auront pas d'héritiers directs pendant le XVIIe siècle, mais les Lumières et le Romantisme se souviendront de la richesse de tels genres.

4. L'invention de la nouvelle

Comme nous venons de le voir, il était devenu habituel, au milieu du siècle, de se moquer du roman héroïque; on réclame un réalisme plus vraisemblable, qui passe d'abord par l'adoption d'une forme plus courte : la nouvelle. De fait la remise en question des valeurs héroïques était peu à peu confirmée par l'échec de la Fronde et par la politique de Louis XIV (voir ci-dessus, p. 25); cela s'accompagnait de la critique des moralistes, inspirés par l'augustinisme qui dénonçait les illusions des vertus humaines : comme au théâtre, où le pessimisme anthropologique de Racine l'emportait sur l'optimisme de Corneille, le roman était témoin de la « démolition du héros ». De surcroît, pour les dernières générations du siècle, le réel n'est plus réduit à son aspect outrancier et ridicule : il devient sérieux, car il est inspiré de la vérité historique. La nouvelle, qui, comme son nom l'indique, tient plus de la chronique véritable que de la fiction, confirme cette recherche de réalisme. Le genre qui avait été en honneur grâce à l'influence espagnole (notamment Cervantès) dans les premières années du siècle, avait été imité par Scarron (*Nouvelles Tragi-comiques*, 1655-1657). Dès le *Roman comique*, ce dernier avait en effet témoigné de son intérêt pour les nouvelles espagnoles (voir ci-dessus, p. 42), dont le réalisme le séduit. Ces textes sont donc l'aboutissement d'une longue réflexion sur l'art des conteurs espagnols (dont l'inspiration nourrissait aussi son théâtre). Il les traduit au moment où il rédige la seconde partie du *Roman comique* (1657), où sont insérées des nouvelles espagnoles.

C'est pourtant à Segrais qu'on prête le rôle décisif dans la remise à la mode du genre, avant qu'il ne soit analysé et défini théoriquement par Du Plaisir (*Sentiments sur les Lettres et sur l'histoire*, 1686). Segrais n'invente pas le genre, mais il lui donne une inflexion qui va être décisive pour le genre romanesque moderne, puisqu'il invente la « nouvelle galante », qui chassera presque le roman de la scène littéraire jusqu'à la fin du siècle. Son influence a été déterminante sur l'élaboration de la *Princesse de Clèves*, de Madame de Lafayette (1634-1693), dont Segrais était devenu le secrétaire en 1671. Nous l'avons auparavant rencontré dans l'entourage de la Grande Mademoiselle (voir ci-dessus, p. 25) ; c'est dans le loisir forcé de son exil à Saint-Fargeau qu'ont été élaborées les *Nouvelles Françaises* (1656) : comme dans l'*Heptaméron* de Marguerite de Navarre (1559), on passe le temps en racontant des nouvelles. Sous la plume de Segrais, la Grande Mademoiselle, devenue la Princesse Aurélie, est entourée de six dames qui racontent chacune une histoire qu'elles présentent comme véritable. Un tel cadre permet la variété, tout en conservant une grande homogénéité grâce au ton des conteuses. Ces récits où il est question d'amour sont ancrés dans un contexte historique précis.

Un des auteurs qui a réfléchi explicitement sur le bon usage de l'histoire dans le domaine romanesque est Saint-Réal (César Vichard, abbé de, ~1643-1692) : il est, avec Segrais, l'autre inventeur de la nouvelle moderne. Moraliste avisé, il fait de l'histoire un champ d'investigation passionnant pour de véritables enquêtes psychologiques. Son chef-d'œuvre, *Don Carlos* (1672), a connu une longue postérité qui atteste la portée de ce récit court, qui sera adapté au théâtre (Schiller) et à l'opéra (Verdi) : de fait, cette nouvelle historique, qui raconte la passion impossible de Don Carlos, fils du roi Philippe II d'Espagne, pour sa jeune belle-mère, Élisabeth de France, crée une situation terrible, rendue encore plus angoissante par l'atmosphère de huis-clos qui règne à la Cour et qui n'est pas sans évoquer l'univers tragique de Racine.

Le chef-d'œuvre de cette modernité romanesque est *La Princesse de Clèves* (1678), qui a fait scandale de son temps, à cause de la scène de l'aveu que la Princesse fait de sa passion à son propre époux ; on a longuement débattu de la moralité de l'histoire, et de la valeur du contexte historique. Il s'agit en effet de personnages qui évoluent dans un milieu qui a existé, avec ses intrigues et ses passions (la cour des Valois, vers 1558-1559). Seule l'héroïne et l'histoire d'amour sont inventées de toutes pièces. La nouveauté de l'œuvre tient d'abord à la grande sobriété du style : héritière du langage précieux, dont elle connaît toutes les finesses, Madame de Lafayette a su, comme Racine l'a fait au théâtre, en faire ressortir toute la force en en atténuant tous les excès. C'est une véritable épure de la psychologie amoureuse qu'elle offre là. D'autre part, elle rompt avec la tradition du roman héroïque, en centrant son intrigue sur une histoire simple, racontée selon l'ordre des événements ; mais il ne faut pas oublier qu'elle sacrifie tout de même à la tradition des nouvelles insérées (on en trouve quatre, très brèves, dans l'ensemble du roman, qui illustrent des « cas » de situations amoureuses).

À côté de l'inspiration historique, l'autre voie du réalisme narratif de la seconde moitié du siècle est son goût pour les formes qui « font vrai », comme les mémoires ou les lettres. En présentant la fiction comme un document brut, qu'il a découvert par hasard et qu'il veut simplement publier, le romancier joue subtilement avec le réel : on a ainsi cru pendant longtemps que les *Lettres portugaises* (1669) de Guilleragues (1628-1685) étaient authentiques. Avant le succès de son recueil de nouvelles intitulé *Les Désordres de l'Amour* (1675), Madame de Villedieu avait donné au public les *Mémoires* fictifs de Henriette-Sylvie de Molière (1671). Sacrifiant au même genre, un des archétypes du futur roman historique du XIXe siècle paraît à la toute fin de siècle, lorsque Courtilz de Sandras (1644-1712) publie les *Mémoires de M. d'Artagnan* (1700), récit apocryphe de la vie et des exploits du fameux mousquetaire.

5. Le regard des moralistes

La littérature du XVIIᵉ siècle est très riche de textes sur la nature humaine et ses rapports avec le monde ; l'humanisme du siècle précédent est encore très présent, ainsi que la continuation des effets spirituels et intellectuels de la Contre-Réforme religieuse (voir ci-dessus, p. 30). Le siècle commençait pourtant avec les doutes d'une pensée qui se cherche. Pierre Charron reprit l'essentiel de l'héritage montaignien dans son livre *De la Sagesse* (1601). Au même moment, la spiritualité française, bien qu'influencée par la Contre-Réforme, développait un courant propre, plus gallican, malgré des attaches profondes avec Rome ou l'introduction du carmel espagnol en France dans les premières décennies du siècle. Dans l'*Introduction à la Vie dévote*, François de Sales développe une doctrine qui allie la vraie dévotion et la vie « mondaine ». Même si cet effort de conciliation a pu faire qualifier cette doctrine d'« humanisme chrétien », la critique systématique que François de Sales adresse à l'amour-propre annonce la position de moralistes plus sévères à l'égard du monde, tels Pascal ou la Rochefoucauld. Cette tradition est incarnée par le cardinal de Bérulle (1575-1629), fondateur de l'Oratoire, qui avait mis l'accent sur la doctrine de saint Augustin, un des pères de l'Église les plus austères (IVᵉ-Vᵉ siècles ap. J.C.). Selon ce dernier, l'homme est condamné, et seule la grâce Divine, qui n'est destinée qu'à quelques élus, peut le sauver. Face à l'optimisme issu de la Renaissance, qui donne la place d'honneur à l'homme, le courant augustinien insiste sur la priorité absolue de Dieu. Ce courant prendra le nom de jansénisme à partir de 1640 (voir ci-dessus, p. 31-32).

La question essentielle que se posent les moralistes est celle de la vie de l'homme avec les autres hommes : l'homme est-il un « loup pour l'homme », comme le dit le philosophe anglais Hobbes (1588-1679) ?

De fait, l'œuvre des moralistes se déploie dans un monde régi par l'idéal de sociabilité que le XVIIᵉ siècle appelle « honnêteté » (Faret, *L'Honnête homme*, 1630). C'est ce que le Chevalier de Méré (1607-1684) et le père jésuite Bouhours (1628-1702) théoriseront dans leurs ouvrages. Des genres spécifiques se développent alors, dans le cadre de l'échange et de la complicité mondaines. La maxime cultive l'art du fragment, et elle donne à la brièveté une valeur suprême, qui est faite d'esprit et attend de son public une réaction et une lecture active. La Rochefoucauld en fera un précieux outil d'analyse du cœur humain (*Maximes et sentences morales*, 1665). On lira les *Pensées* de Pascal sous cette forme (qui n'est due qu'à la publication posthume), et La Bruyère devra distinguer explicitement la forme de ses *Caractères* de cette tradition.

La Rochefoucauld (1613-1680) est devenu moraliste à la suite d'une carrière mouvementée : comme il le raconte dans ses *Mémoires*, il se livra avec délices à l'amour et à l'ambition, et il s'engagea dans la Fronde pour les beaux yeux de Madame de Longueville, la sœur de Condé. L'écrasement du parti des Princes lui valut la ruine et l'exil de Paris jusqu'en 1656. Cela marqua aussi la fin de toute ambition politique. La méditation et l'écriture vont désormais remplacer l'action. Il entreprend la rédaction des *Maximes* à partir de 1658. Le milieu qu'il fréquente alors est favorable à cet exercice de style : il est alors proche de la Marquise de Sablé, qui habitait à côté de Port-Royal. De plus son intendant était l'oratorien Jacques Esprit (1611-1678), académicien depuis 1639 et janséniste notoire. Les *maximes* visent à démasquer les vertus apparentes, telles qu'elles sont enseignées par les « fausses » sagesses de l'Antiquité. La raison centrale de cette fausseté est à chercher dans l'*amour-propre*, qui est dénoncé comme « corrupteur de la raison ». Cet amour de soi, selon saint Augustin, est la cause de l'oubli de Dieu et de la charité, c'est le tyran qui règne sur la nature humaine corrompue. Pour démasquer l'amour-propre qui se cache derrière chacun de nos actes, La Rochefoucauld a choisi la maxime, car son mécanisme, fait de symétries, d'oppositions ou d'équivalences est idéal pour retourner les apparences. La description précise de ce mal, sous tous ses aspects (amitié, amour, honneur, mérite, louange, etc.), conduit à un pessimisme radical ; la perfection formelle des symétries et des antithèses mettent l'accent sur la contrariété qui constitue la nature humaine. La composition du recueil est très libre : les thèmes s'entrecroisent et reviennent (l'intérêt, l'orgueil, la fausse constance, l'ambition, etc). Peu de séries longues, plutôt une rapide suite de variations sur un même thème (au plus deux ou trois maximes d'affilée) : on ne s'attarde pas, de peur de lasser. Cet art, qui masque l'ordre sous une apparente improvisation, répond parfaitement à l'idéal social et mondain du genre, qui prétend être un juste reflet de la conversation, avec son naturel et sa juste part de « négligence ».

Dans les *Pensées*, publiées après sa mort, Blaise Pascal est moraliste en tant qu'il insiste sur l'orgueil de l'homme, et qu'il dépeint la misère de sa situation ici-bas : selon lui, l'homme est le jouet de son amour-propre, qui est né de la chute originelle. Pascal avait commencé sa carrière comme un enfant prodige et un savant vite reconnu par ses pairs, et il était venu à Paris au début des années 1650, où il s'était lié au jeune duc de Roannez et au chevalier de Méré. Il était alors surtout connu par ses travaux scientifiques, et menait une vie mondaine. Après une nuit d'extase mystique (1654) qui lui révèle sa voie, il se rapprocha des jansénistes (que fréquentait sa famille) ; c'est pourquoi il s'en fit l'habile défenseur en écrivant les *Provinciales* lors de la querelle qui opposa Antoine Arnauld à la Sorbonne et aux jésuites (voir ci-dessus, p. 31). Il entreprit ensuite d'écrire une *Apologie du Christianisme*. De santé fragile, il mourut avant d'avoir achevé, laissant des liasses de manuscrits que ses amis de Port-Royal allaient publier huit ans plus tard sous le titre de *Pensées* (1670). Sa fréquentation de l'abbaye de Port-Royal des Champs l'avait amené à débattre de questions théologiques, notamment avec Isaac Le Maistre de Sacy (1613-1684). De ces conversations résultera l'*Entretien sur Épictète et Montaigne* qui sera publié pour la première fois en 1728. La critique des doctrines antiques (stoïcisme et scepticisme) qui nourrissaient la pensée des mondains est au cœur des *Pensées*.

Lecteur de Saint-Augustin, Pascal considère que la nature humaine est déchue et en proie à la concupiscence, aussi bien physique qu'intellectuelle. Il explique ainsi la disparition de la justice sur cette terre, qui implique parfois une attitude résolument machiavélienne pour sauvegarder la paix civile à tout prix entre les hommes. Dans ce contexte, la raison est « sotte », nous dit Pascal, car elle ne peut pas avoir accès à toute la vérité, contrairement à ce que pensent les libertins. Toute sa grandeur consiste en ce qu'elle sait s'humilier devant la Révélation. Elle demeure cependant le garde-fou contre les superstitions aveugles. On comprend la portée d'une telle conviction chez un des plus grands génies scientifiques du dix-septième siècle. Pascal décrit l'homme comme une machine, en proie aux mécanismes psychiques dont il n'est pas toujours maître : ainsi l'imagination, « maîtresse d'erreur et de fausseté » est une seconde nature qui règne dans l'homme ; même les plus sages n'en sont pas exempts. Pascal est profondément fidèle à la théologie augustinienne de la grâce : elle seule peut sauver l'homme de son état de corruption, mais elle est du seul ressort de Dieu et ne saurait s'accomplir selon la volonté humaine, d'où les constantes polémiques avec les jésuites qui sont convaincus du pouvoir rédempteur des « œuvres » humaines. On comprend l'importance du dialogue que Pascal a entretenu avec ses amis libertins (Méré, Mitton), incroyants convaincus qui refusaient d'entreprendre cette démarche.

Dernier grand représentant du genre, La Bruyère (1645-1696) a entrepris tardivement son œuvre, alors qu'il avait la charge de précepteur du petit-fils de Condé (1684). Les dernières années de sa vie se confondent avec le rythme de publication de son unique ouvrage, *Les Caractères ou les mœurs de ce siècle*, qu'il grossit d'année en année avec de nouvelles remarques ou de nouveaux portraits. Il meurt en 1696, alors que va paraître la neuvième édition de son livre. L'ouvrage est constitué de ce que La Bruyère appelle des « remarques », qui ne sont, selon lui, ni des maximes à la manière de La Rochefoucauld, ni des pensées à la manière de Pascal. Il refuse aussi tout aspect méthodique : le désordre est un principe constitutif de chaque chapitre. Les remarques, sans doute composées ensemble auparavant, sont augmentées d'édition en édition, étoffant peu à peu le corps de l'ouvrage. À la brève sentence, La Bruyère adjoint progressivement de nombreux portraits ; ils ont sans doute été pour beaucoup dans le succès du livre, où le public cherchait des « clefs » pour reconnaître tel ou tel grand personnage. La Bruyère insiste pourtant sur l'aspect moral de son livre : il prétend moins attaquer ses contemporains que viser à une certaine vérité générale sur l'homme. Néanmoins, la justesse de son observation et les nombreuses allusions à des contemporains font de son ouvrage un indispensable témoin de la société française à la fin du XVIIᵉ siècle.

La pensée de La Bruyère a souvent posé problème à la critique : on a préféré célébrer le maître de style plutôt que de s'interroger sur la portée de son ouvrage. De fait, l'anthropologie qui sous-tend son discours est résolument fixiste ; pour lui, l'homme n'a guère changé depuis les origines, et le seul sens de l'histoire est celui de la corruption. La rêverie sur l'origine, lieu d'une cité idéale, avait été à l'honneur dans le livre de Claude Fleury sur *Les mœurs des Israélites* (1681) ; l'Athènes idéale dessinée par la Bruyère dans son discours sur Théophraste en reprend bien des thèmes. De fait, La Bruyère, qui était un protégé de Bossuet, connaissait bien l'entourage du prélat et ce qu'on a appelé « le Petit Concile », qui réunissait des savants ecclésiastiques et laïcs, à la fois pour entreprendre une apologétique chrétienne et pour tenter de penser le christianisme dans le cadre de la société et de l'État modernes, dont on sentait la nouveauté depuis une ou deux générations. C'est à la lumière de cette pensée, qui a énormément réfléchi sur l'histoire (Huet, Fleury, Bossuet lui-même), que l'on peut comprendre le relativisme dont fait preuve La Bruyère.

La question du classicisme

La notion de classicisme s'est imposée peu à peu dans le discours critique pour définir les années les plus fécondes de la littérature et des arts du XVIIe siècle français. Devenue une évidence, cette notion masque en fait une longue histoire, qui appartient autant à l'histoire des formes et des genres qu'à l'histoire des idées ou des mentalités. En soi, jamais la génération des années 1660-1685, que nous reconnaissons comme « classique », ne s'est sentie ou définie comme telle ; elle n'a même pas eu à rédiger de « manifeste » comme tant d'autres écoles littéraires qui l'ont précédée ou suivie. Le mot n'apparaît que tardivement dans la critique, et il a été long à s'imposer. Il se rapportait alors essentiellement aux auteurs de l'Antiquité, à la fois au sens où ils sont étudiés dans les classes et où ils sont les meilleurs, c'est-à-dire ceux qu'il faut imiter. La grandeur du terme a fait longtemps reculer la critique pour désigner les auteurs français du XVIIe siècle : c'était leur donner une lourde charge à porter. Voltaire se réjouit, en 1761, de voir étudier les « auteurs classiques » de la littérature du Grand Siècle, mais cet emploi semble encore métaphorique, par référence aux auteurs de l'Antiquité classique. Le dictionnaire de Littré (1872) considère encore le mot « classicisme » comme un néologisme, le définissant comme étant le « système des partisans exclusifs des écrivains de l'antiquité, ou des écrivains classiques du XVIIe siècle ».

De fait, l'idée de la grandeur d'une littérature nationale a été formulée très tôt, dès la Querelle des Anciens et des Modernes, comme nous l'avons vu. Le schéma historiographique a été en tout cas clairement exposé par Voltaire, dans le *Siècle de Louis XIV* (1751), qui note le « dégoût » qu'a provoqué la multitude de chefs-d'œuvre : « Le siècle de Louis XIV, écrit-il, a donc en tout la destinée des siècles de Léon X, d'Auguste, d'Alexandre ». Du Marsais, dans l'*Encyclopédie*, entérine le sens de l'adjectif « classique » pour désigner les « bons auteurs du siècle de Louis XIV ». Marmontel, dans son *Essai sur le goût* (1786), considère que cette époque a été le « siècle du goût », « un *goût* plus délicat, plus fin, plus éclairé que celui de Rome et d'Athènes ». Ses *Éléments de littérature* (1787) font la synthèse, après coup, de la doctrine classique, lui donnant une unité qu'elle est loin d'avoir eue à l'époque même où s'écrivaient les chefs-d'œuvre dont elle rend compte.

L'essor de la notion de « classicisme » est surtout dû à la place qu'elle prend dans les débats autour du romantisme : le classicisme est alors rejeté par les tenants d'un nouveau goût, ou considéré comme une valeur indépassable par ceux qui refusent l'esthétique moderne. L'opposition fut formulée par Goethe (« je nomme classique le genre sain et romantique le genre malade »), mais l'analyse la plus fine se trouve sans doute dans les pages fameuses de Stendhal sur le « romanticisme » dans *Racine et Shakespeare* (1823). Selon lui, le romantisme est « l'art de présenter aux peuples les œuvres littéraires qui, dans l'état actuel de leurs habitudes et de leurs croyances, sont susceptibles de leur donner le plus de plaisir possible ». Le *classicisme*, au contraire, est ce qui « leur présente la littérature qui donnait le plus grand plaisir à leurs arrière-grands-pères ». À ce titre, pour Stendhal, Racine était romantique, car il a su plaire au public de 1670, de même que Shakespeare a su plaire aux Anglais de 1590. Ce qui est absurde (et *classique*), c'est de vouloir reproduire en 1823 « les caractères et les formes qui plaisaient en 1670 ».

I. Contraintes et liberté de la doctrine classique

Cette « doctrine » correspond donc avant tout à la production littéraire d'une période de la littérature française qui s'étend de 1660 à

1680, mais l'élaboration de cet idéal est dû en grande partie à la génération des années 1630-1640, qui le définissait comme « atticisme », en référence implicite à un idéal rhétorique antique fait de brièveté et de force, où l'économie de moyens vaut mieux que l'abondance verbale et l'excès des figures (v. ci-dessus, p. 57). À cet idéal était lié un ensemble de vertus littéraires qu'avait peu à peu développées le siècle : la négligence, l'agrément, le naturel, incarné notamment par l'esthétique « galante » du poète Sarasin qu'avait analysée Pellisson en 1656. Le but principal que recherchent ces écrivains est le plaisir du lecteur, précepte issu du poète et critique latin Horace – pour qui la poésie devait « mêler le plaisant et l'utile » – que formulent à nouveau Corneille et Chapelain et qu'ont repris en chœur La Fontaine, Boileau, Molière ou Racine. Comme nous l'avons vu, le classicisme, s'il va chercher ses sources dans les grands modèles de l'Antiquité ou dans les théories d'Aristote, demeure en effet attaché à la constitution d'une littérature mondaine, en français, qui plaise « aux femmes mêmes » et qui ne sente pas le collège et l'étude. Pour ce faire, il était moins question d'imposer des « règles » que de refuser des excès, et la « doctrine classique » est autant une série de rejets (on refuse l'obscurité, les faux brillants du style, la démesure ou l'invraisemblance) qu'un ensemble de normes. Corneille justifiait la qualité du *Cid* par le seul fait qu'il avait réussi à plaire au public, en dépit de sa liberté à l'égard des règles savantes (voir ci-dessus, p. 49).

La condition d'une telle réussite est sans conteste la conscience, partagée par tous ces écrivains, que le naturel et la grâce sont aussi importants que la beauté formelle ; comme l'écrivait La Fontaine, dans son poème *Adonis*, Vénus séduit les regards parce qu'elle a la grâce « plus belle encore que la beauté ». Ce genre de formule a incité la critique récente à réévaluer l'esthétique classique en ce sens et, après avoir été vu essentiellement comme un ensemble canonique de règles, notamment par la tradition critique savante (Lanson 1894, Bray 1927), le classicisme a été relu, plus près de nous (à partir des années 1950, notamment par la critique américaine – Borgerhoff en 1950, Brody en 1958) à la lumière de l'esthétique du sublime et de la grâce, qui fonde l'art de plaire sur la liberté autant que sur les règles. La Fontaine est sans doute le représentant le plus remarquable de cette esthétique. Il écrit explicitement, en tête de ses *Contes* (Deuxième partie, 1666), que « …le secret de plaire ne consiste pas toujours en l'ajustement ; ni même en la régularité : il faut du piquant et de l'agréable, si l'on veut toucher. Combien voyons-nous de ces beautés régulières qui ne touchent point, et dont personne n'est amoureux ? »

À l'autre extrême, le sublime, effet puissant qu'aucune règle ne parvient à cerner, principe d'énergie et de force, avait été loué par Guez de Balzac dès 1644 (à propos de la « grande éloquence », dans les *Œuvres diverses*), mais c'est bien Boileau qui diffuse largement cet idéal trente ans plus tard en traduisant le théoricien grec du sublime, Longin. Autre moyen de subversion des degrés et des hiérarchies, le sublime, selon Boileau, tout comme la grâce chez La Fontaine, est l'art de toucher en deçà des règles et des critères formels. Selon Boileau, même la simplicité peut être sublime, et la « petitesse énergique des paroles » peut produire un effet plus puissant que le style élevé. Cette dimension du classicisme ne doit jamais être négligée pour comprendre la puissance des œuvres qui en sont issues. La grâce ou le sublime, dans ce qu'ils ont d'insaisissable, peuvent se résumer en un mot : le « je ne sais quoi ». Le père Bouhours lui a consacré tout un *Entretien* en 1671 ; Méré en faisait une qualité maîtresse des agréments de la vie mondaine. Cette expression, fondatrice du goût classique, reflète bien à elle seule le dynamisme et l'inattendu d'une production littéraire qui est surtout fidèle à l'horizon d'attente des « honnêtes gens ».

On retrouve ici les traits de l'esthétique galante qui avait fait la séduction d'un Voiture ou d'un Sarasin trente ans auparavant ; La Fontaine, né en 1621, en est l'héritier direct. Après avoir entrepris des études de théologie (à l'Oratoire), puis des études de droit (vers 1642), il avait fréquenté les poètes parisiens dans les années où triomphe la mode galante (voir ci-dessus, p. 80). Comme Sarasin, La Fontaine a une vaste culture, et il ne choisit guère entre les anciens (Virgile, Térence, Ovide) et les Modernes, notamment italiens (L'Arioste, Le Tasse, Marino), sans oublier, pour son art du vers, les plus fameux parmi les français (Marot, Malherbe, Racan, Voiture) ; amateur de romans, il place au-dessus de tout l'*Astrée* d'Honoré d'Urfé (1567-1625), qui inspire bien des aspects de son œuvre (comme le rappelle son *Conte* intitulé *Ballade*).

Protégé de Nicolas Fouquet, il fréquente précisément le milieu où s'élabore l'esthétique galante telle que l'a définie Pellisson en tête des *Œuvres* de Sarasin (1656), et c'est dans ce style qu'il célèbre en prose et en vers les beautés architecturales de Vaux-le-Vicomte (*Le Songe de Vaux*, 1658) ; lorsque le surintendant est arrêté, en 1661, La Fontaine devient gentilhomme de la maison de Madame (la veuve de Gaston d'Orléans). Il a alors tout loisir pour se consacrer à la poésie. Durant les années qui suivent, il mène une double carrière poétique : ses *Contes* (1665-1666) qui ne parlent que d'amour, et souvent de la façon la plus licencieuse, confirment son talent. Outre l'habile imitation des modernes qu'il y entreprend (il adapte des nouvelles de Machiavel, de L'Arioste ou de Boccace), il y forme son art du vers qui va bientôt enchanter les *Fables*, dont le premier recueil paraît en 1668. La diversité de son inspiration est frappante : il écrit un poème religieux (*Saint Malc*, 1673), au moment même où il publie les contes les plus immoraux, et alors que ses *Fables* lui valent un succès de moraliste. Même la poésie scientifique le tente (*Poème du Quinquina*, 1682). Les six premiers livres des *Fables* sont tout de suite un coup de maître ; reprenant les textes les plus connus de la tradition d'Ésope et de Phèdre, La Fontaine affirme qu'il ne fait que les « mettre en vers ». Il dit dans sa préface que la fable est constitué d'une « âme », la morale, et d'un « corps », le récit. La versification libre, où alternent les mètres différents (alexandrins, octosyllabes, décasyllabes) donnent une grande souplesse et une véritable harmonie à sa narration qui y trouve presque la liberté de la prose. Le succès de ce recueil fut immédiat, et la Fontaine que l'on connaissait surtout pour ses *Contes*, fut célébré désormais comme l'inimitable auteur des *Fables*.

Le second recueil paraît en 1678. Dédié à Madame de Montespan, ce recueil infléchit nettement le ton : l'inspiration se diversifie, en puisant notamment dans la tradition orientale (Pilpay, *Le Livre des*

Lumières, que l'érudit Gaulmin avait traduit en 1644). La Fontaine lui-même souligne ces inflexions dans un bref avertissement, où il défend la « diversité » qui lui tient à cœur. Les tons sont eux aussi plus contrastés : le sombre récit des « Animaux malades de la peste » qui ouvre le recueil (VII,1) est suivi, par exemple, du « Mal marié » (VII,2), dont le ton amusé rappelle la verve des *Contes*. On retrouve les fables réflexives sur la poétique, tel « Le pouvoir des fables » (VIII,4) ou « Le Dépositaire infidèle » (IX,1) ; le propos ne craint pas de s'élever à la réflexion la plus philosophique, comme dans le fameux « Discours à Mme de La Sablière ». Le lyrisme même est plus souvent et plus nettement convoqué que dans le premier recueil, comme en témoignent « Tircis et Amarante » (VIII,13), « Les deux pigeons » (IX,2), et « Le Songe d'un habitant du Mogol » (XI,4).

L'épilogue du livre XI encourageait d'autres « favoris » des Muses à reprendre le flambeau et à suivre le « chemin » ouvert par le fabuliste. Pourtant, le livre XII voit le jour quatorze ans plus tard, en 1693 (avec la date de 1694) : présenté à l'origine comme le « septième » livre des *Fables*, il est donc placé dans la continuité directe du premier recueil (refermant ainsi la parenthèse des fables « pour adultes » dédiées à l'ancienne favorite du roi). De fait, il est adressé au duc de Bourgogne, qui n'est autre que le fils du grand dauphin, à qui était dédié le recueil de 1668. La Fontaine offre ici la synthèse de son art et de sa pensée : les vingt-neuf fables qui le composent retrouvent à la fois la tradition du premier recueil (« Le Loup et le Renard », XII, 9, « La Forêt et le Bûcheron », 16) et l'inspiration du recueil de 1678 (« Le Cerf malade »,6, « Le Renard anglais », 23). La veine des *Contes* est illustrée par « Belphégor » (27) et « La Matrone d'Éphèse » (26), et même le « style héroïque » d'*Adonis* est à l'honneur dans « Daphnis et Alcimadure » (24) ou dans « Les Filles de Minée » (28). Deux fables présentent une somme de la réflexion poétique des *Fables* : la première (« Les Compagnons d'Ulysse ») rappelle les rapports ambigus qui unissent l'homme et l'animal et la dernière (« Le Juge arbitre, l'Hospitalier et le Solitaire ») marque l'aboutissement d'une sagesse longuement mûrie par l'œuvre et la vie du poète.

Œuvre de la maturité du plus grand poète du xviiᵉ siècle, les *Fables* sont l'aboutissement d'un art et d'une culture ancrés en profondeur dans de multiples traditions issues de l'humanisme et vivifiée par la modernité poétique inaugurée par Malherbe. L'humilité apparente de leur titre, qui signale une simple mise en forme métrique, est le premier hommage du poète à la tradition. Le genre lui-même est le plus humble de la hiérarchie, situé aux confins de l'exercice scolaire des premières années d'apprentissage et de l'art des emblèmes : en aucun cas les options initiales du fabuliste ne laissaient présager le chef-d'œuvre qui allait naître de ces choix.

En choisissant le genre de la Fable, La Fontaine évoque la pleine et heureuse continuité originaire qui unit l'homme et la création. L'importance de la parole donnée aux animaux renvoie à un âge d'or (« Au temps que les bêtes parlaient », comme dit Rabelais, *Pantagruel*, XV), et d'une certaine façon, renverse la perspective du monde :

> Les fables ne sont pas ce qu'elles semblent être :
> Le plus simple animal nous y tient lieu de maître.
>
> (VI,1)

Le regret d'un âge d'or explique la tonalité nostalgique des pages les plus lyriques de La Fontaine ; il sous-tend la mélancolie, que La Fontaine sait si bien exprimer au détour d'une description :

> Solitude où je trouve une douceur secrète,
> Lieux que j'aimai toujours, ne pourrai-je jamais,
> Loin du monde et du bruit, goûter l'ombre et le frais ?
>
> (XI,4)

La suite de cette célèbre méditation conduit La Fontaine à évoquer le monde de la pastorale (« les ruisseaux », « quelque rive fleurie ») qui lui est si cher. Le lecteur de l'*Astrée*, l'admirateur de l'inconstant Hylas, si bien accordé à son tempérament amoureux et inquiet, laisse alors échapper les rares confidences qui font des *Fables* une grande œuvre lyrique. Il est alors frappant de constater que, dans ce siècle où le moi a si souvent été déclaré « haïssable », La Fontaine parvient à nous faire entendre sa voix personnelle par le détour d'une tradition millénaire et d'un genre originellement impersonnel.

La revendication de l'originalité est un des buts exprimés par la « Vie d'Ésope » placée en tête du premier recueil : c'est bien à une voix et à une vie, en un mot à un homme que La Fontaine prétend rattacher l'inspiration de cette « comédie à cent actes divers ». L'humilité du fabuliste grec et du genre qu'il a pratiqué deviennent ainsi une paradoxale « autorité » sur laquelle le poète moderne peut prendre appui pour parler en son nom, et pour revendiquer la grandeur du genre qu'il pratique, même avec modestie. La Fontaine, véritable humaniste et homme de tradition, ne cache pas sa fierté d'avoir ouvert une voie nouvelle : en offrant au lecteur cette conviction d'une originalité profonde – paradoxalement fondée sur la plus authentique tradition – le fabuliste semblait prévoir son entrée presque inévitable dans le panthéon classique de la littérature française.

2. La tragédie racinienne, paradigme du classicisme

Nous avons vu précédemment (ci-dessus, p. 84) combien la scène tragique avait été le lieu où s'est concentrée la réflexion poétique de tout le siècle. La tragédie est bien l'emblème du classicisme, et ce n'est pas sans raison que Stendhal, lorsqu'il débattra du sujet au seuil de la modernité littéraire issue du romantisme, a pris Racine comme paradigme du classicisme. Déjà, au XVIIIᵉ siècle, alors que Racine devient peu à peu le modèle par excellence de la langue française (on le commente savamment à l'Académie) et qu'il est joué continûment à la Comédie française, Voltaire avait entrepris de conquérir à son tour la scène tragique en cherchant à rivaliser avec ce modèle indépassable, à laquelle il vouait une véritable admiration (comme on peut le voir dans son *Commentaire de Corneille*, où, paradoxalement, il avoue souvent sa préférence pour l'auteur de *Phèdre* et d'*Athalie* !). Fontanier, au seuil du XIXᵉ siècle, prétend même faire de l'œuvre de Racine le canon du français (*Études de la langue française sur Racine, ou Commentaire général et comparatif sur la diction et le style de ce grand classique*, 1818). Racine incarne donc l'essence même du classicisme dans la tradition théâtrale, critique et littéraire française.

Paradoxalement, Racine est pourtant arrivé au théâtre dans des conditions inattendues : sa culture même semble l'opposer à son rival Corneille, et le distingue de son ami Boileau. Il doit l'originalité de celle-ci aux aléas d'une vie mal commencée ; en effet, devenu très tôt orphelin, Racine fut recueilli par sa grand-mère paternelle, qui l'emmena à Port-Royal des Champs, où les « Petites Écoles », rattachées au monastère, lui donnèrent sa formation exceptionnelle : il apprend le grec et se dote d'une solide culture humaniste, à la fois profane et sacrée. À vingt ans, il est accueilli à Paris par son cousin Nicolas Vitart, intendant d'une puissante famille proche de Port-Royal, qui l'introduit dans les milieux littéraires et aristocratiques. Bien que remarqué très tôt par Chapelain, à la suite de son *Ode* en l'honneur du mariage de Louis XIV (*La Nymphe de la Seine*), Racine doit quitter Paris pour Uzès où il tente d'obtenir un bénéfice ecclésiastique. La démarche ayant échoué, il revient à Paris en 1663. Présenté à la Cour, il fréquente alors Molière et Boileau ; c'est au premier qu'il confie sa première pièce, *La Thébaïde*, qui n'obtient pas le succès escompté. L'année suivante, il réussit mieux avec *Alexandre*, hommage indirect au jeune monarque, mais se brouille avec Molière, à qui il retire la pièce pour la donner à ses rivaux de l'Hôtel de Bourgogne. De surcroît, il se fâche avec ses amis de Port-Royal, qui ont écrit contre le théâtre une *Lettre sur les Visionnaires* (Pierre Nicole, contre *Les Visionnaires* de Desmarets de Saint-Sorlin).

Pendant dix ans, de 1667 à 1677, sa carrière se confond avec le succès croissant de ses pièces : la gloire est acquise dès *Andromaque* (1667), il l'emporte sur Corneille avec *Britannicus* (1669), et surtout avec *Bérénice* (1670), qui éclipse la pièce rivale du vieux maître, *Tite et Bérénice*. Le goût de l'exotisme oriental est brillamment illustré par *Bajazet* (1672). La grandeur mythologique enfin est majestueusement mise en scène dans *Iphigénie*, qui est un triomphe (1674), et dans son ultime chef-d'œuvre d'inspiration profane, *Phèdre* (1677), qui s'impose malgré une cabale qui l'oppose à Pradon, auteur d'une autre *Phèdre* qui ne manque pourtant pas de qualités. En octobre 1677, Racine est nommé, avec son ami Boileau, historiographe du roi. Cela met un terme à sa carrière de dramaturge. Il a désormais pour tâche de célébrer la politique royale, en suivant notamment les armées en campagne (1678), en faisant l'éloge de la prise de Namur ou en fêtant la Révocation de l'Édit de Nantes (1685). Déjà sa nomination à l'Académie (1673) avait annoncé la faveur royale. Celle-ci est confirmée en 1690, lorsqu'il reçoit le titre et la charge de « gentilhomme ordinaire de la Chambre du roi ». Racine ne revient au théâtre que sur la demande de Madame de Maintenon, qui désirait des pièces à sujet biblique pour l'école de jeunes filles qu'elle avait fondée à Saint-Cyr : ce sera *Esther* en 1689, puis *Athalie* en 1691. Ces pièces n'étaient pas destinées au grand public : *Esther* fut jouée devant la Cour et *Athalie* fut simplement « répétée » devant un public choisi (dont le roi Jacques II d'Angleterre). Il faudra attendre le XVIIIe siècle pour qu'elles soient reprises pour le grand public (*Athalie*, 1716, *Esther*, 1721). Entouré d'honneurs et de plus en plus ferme dans ses convictions religieuses, Racine meurt le 21 avril 1699 et il est inhumé à Port-Royal des Champs.

Andromaque fut jouée pour la première fois au Louvre, par la troupe de l'Hôtel de Bourgogne, le 19 novembre 1667. Ce fut un immense succès, comparable à celui que Corneille avait connu avec *Le Cid* trente ans plus tôt. Grâce à cette réussite, Racine devenait l'un des auteurs tragiques les plus en vue, ce qu'il n'avait pas pu obtenir jusque-là, ni avec *La Thébaïde* (1664), ni avec *Alexandre le Grand* (1665). Pour *Britannicus*, la première représentation, le 13 décembre 1669, fut un échec total, à cause d'une cabale montée par Corneille. Les éloges de Boileau et le goût du Roi l'emportèrent en définitive, et firent triompher la pièce. Elle confirmait le talent de Racine, même dans les sujets d'inspiration romaine, où Corneille avait excellé jusque-là. La mise en scène de « monstres », comme ici Néron, permettait au dramaturge de développer le goût pour l'analyse psychologique, resserrant l'espace et l'action tragiques en un lieu clos et dans le moment crucial de la « crise », à l'opposé des complications romanesques auxquelles se complaisaient ses rivaux, Quinault ou Thomas Corneille. Jouée pour la première fois le 21 novembre 1670, *Bérénice* marque la « victoire » de Racine sur le vieux Corneille : son triomphe éclipse en effet la *Tite et Bérénice* que Corneille avait donnée à la troupe de Molière au Palais-Royal (jouée une semaine plus tard). La gageure dramatique que Racine y réussit est de réduire l'action à sa plus simple expression : ni sang, ni mort, pas même la violence dans l'affrontement des personnages. La passion y demeure sur le ton élégiaque, épurée de tout excès galant ; c'est ce que Racine appelle la « tristesse majestueuse », qui aboutit à une fin malheureuse et inévitable par les protagonistes.

Bajazet marque une inflexion dans l'inspiration racinienne, tout en poursuivant la structure fondamentale inaugurée dans *Britannicus* : il s'agit encore d'un couple d'amoureux écrasé par la passion de celui qui détient le pouvoir. Mais le décor choisi est nouveau, moderne (l'Orient contemporain) et centré sur un huis clos, le sérail, où est tenu prisonnier Bajazet. Cette pièce, jouée avec succès le 5 janvier 1672, est sans doute une des plus noires de Racine. Enfin, créée le 1er janvier 1677 à l'Hôtel de Bourgogne, *Phèdre* est le remarquable aboutissement du système théâtral inventé par Racine. L'inspiration grecque, marquée par l'omniprésence du sacré, avait été inaugurée par *Iphigénie*, trois ans plus tôt. Une nouvelle fois, dans cette pièce imitée de l'*Hippolyte* d'Euripide (480-406 av. J.-C.), l'homme se trouve la proie d'une punition divine qu'il pressent sans la comprendre : Thésée sent la menace de Neptune peser sur son fils Hippolyte, et Phèdre est poursuivie par Vénus. Ce retour d'un tragique puissant, très moderne de ton, explique peut-être qu'on préféra momentanément la *Phèdre* de Pradon, rival de Racine, qui triompha grâce à une cabale animée par des admirateurs de Corneille. Cependant, dès 1680, *Phèdre* deviendra une des pièces préférées du répertoire de la toute nouvelle Comédie-Française.

Racine est en général avare de commentaires sur son art. Ses préfaces ont surtout le souci de répondre à des objections précises et ponctuelles que l'on a adressées à ses pièces. Cependant, en tête de son édition de *Bérénice* (1670), le dramaturge a placé quelques réflexions essentielles sur la simplicité qu'il recherche dans son œuvre.

> Ce n'est pas que quelques personnes ne m'aient reproché cette même simplicité que j'avais recherchée avec tant de soin. Ils ont cru qu'une tragédie qui était si peu chargée d'intrigues ne pouvait être selon les règles du théâtre. Je m'informai s'ils se plaignaient qu'elle les eût ennuyés. On me dit qu'ils avouaient tous qu'elle n'ennuyait point, qu'elle les touchait même en plusieurs endroits, et qu'ils la verraient encore avec plaisir. Que veulent-ils davantage ? Je les conjure d'avoir assez bonne opinion d'eux-mêmes pour ne pas croire qu'une pièce qui les touche, et qui leur donne du plaisir, puisse être absolument contre les règles. La principale règle est de plaire et de toucher : toutes les autres ne sont faites que pour parvenir à cette première ; mais toutes ces règles sont d'un long détail, dont je ne leur conseille pas de s'embarrasser : ils ont des occupations plus importantes.

Ces quelques phrases semblent bien résumer la quintessence du classicisme tel que nous l'avons évoqué plus haut, et tel que le siècle l'a patiemment élaboré, depuis Corneille et Chapelain, en réfléchissant simultanément sur la nécessité des règles et les secrets de l'émotion, sur les impératifs de l'art et la liberté de l'inspiration. La scène racinienne concentre ces tensions et ces aspirations, en leur répondant par le trait le plus caractéristique de l'idéal classique : la simplicité.

Souvent décrit comme le « peintre du cœur humain », Racine se place dans la lignée des grands moralistes de son siècle, Pascal ou La Rochefoucauld. Il y était naturellement préparé par ses liens avec Port-Royal, et avec son maître Nicole. Cela va aussi dans le sens de tout le siècle qui, depuis l'*Astrée*, et jusqu'aux « précieuses », s'est efforcé de traduire dans le langage toutes les nuances des passions et de la psychologie humaines. Tout l'art de Racine consiste à faire pressentir, grâce au langage, la complexité intérieure d'une personnalité. Les replis de la conscience, voire les affleurements des profondeurs inconscientes, sont en définitive le principal objet de son théâtre. C'est en cela que Racine invente un tragique nouveau, où le poids de la psychologie et des passions l'emporte sur les déterminations extérieures (naissance, fortune, destin). Sans suivre les leçons de Corneille, qui reposaient sur une dialectique subtile entre amour et politique, Racine n'a pourtant pas renoncé à plaire, bien au contraire. Tout en respectant les bienséances traditionnelles, il a su mettre en scène des personnages extrêmes (Néron, Roxane, Phèdre) ; en évitant l'usage d'un merveilleux trop marqué (qui aurait pu choquer le public chrétien de son temps), il a su faire percevoir la présence d'un sacré, qui joue à l'intérieur même des âmes des personnages (Phèdre vit ainsi son tourment intérieur, comme « possédée » par Vénus). Cette fatalité intérieure, qui pousse Titus à répudier Bérénice sans cesser de l'aimer, qui conduit Phèdre à avouer son penchant criminel, est à l'œuvre dans toutes les tragédies de Racine. La rigueur de la fatalité est d'autant mieux ressentie qu'elle est mise en scène par un art remarquable du langage et de l'action dramatiques. L'économie et la discrétion des moyens – on invoque souvent son vocabulaire limité et volontairement abstrait – va dans le sens d'une stylistique dense et avare d'effets voyants : peu de figures trop marquées (métaphores ou antithèses), peu d'images violentes. Racine préfère concentrer dans certains passages les effets d'une langue poétique et musicale : dans la plainte d'un héros malheureux, dans les récits ou les tableaux plus descriptifs. Mais jamais ces morceaux ne sont exploités pour eux-mêmes, ils n'apparaissent que dans un rapport étroit avec l'action. Celle-ci est concentrée sur le moment de la crise tragique ; on est loin des développements romanesques de la tragédie ou de l'opéra contemporains ! Tout se précipite, à la faveur d'une concentration des passions, dans le temps et dans l'espace (comme le huis clos de *Bajazet*).

3. Boileau, le « régent du Parnasse » ?

Le caractère paradigmatique de l'œuvre de Boileau conduit souvent aujourd'hui à embrasser d'un coup d'œil panoramique l'ensemble des textes du prétendu « Régent du Parnasse », en tendant à oublier la longueur d'une carrière et les inflexions d'une ambition poétique et critique

que les contextes successifs de cette « carrière » ont pu faire naître. De fait, en considérant, comme l'a fait longtemps une tradition critique en quête de doctrine classique, les textes de l'auteur des *Satires* et de l'*Art poétique* comme porteurs d'un « système poétique » rendant compte, non seulement de l'œuvre du poète lui-même, mais aussi des principales productions du temps, les lectures successives de Boileau ont peu à peu occulté la spécificité des étapes qu'il a lui-même parcourues pour construire l'œuvre qui sera fixée, au seuil du XVIIIᵉ siècle, dans l'édition dite « favorite » de ses *Œuvres diverses* (1701).

Boileau a trente-huit ans lorsqu'il fait paraître son premier recueil d'*Œuvres diverses* (1674) ; il est entré dans la vie littéraire une quinzaine d'années plus tôt, en 1659, en fréquentant notamment le cercle littéraire de l'abbé d'Aubignac, et le salon de Michel de Marolles. En 1663, il rencontre Racine, et bientôt Molière, en fréquentant le fameux cabaret de « La Croix Blanche ». Si les cercles mondains font participer le jeune Nicolas à la réflexion savante du temps sur la littérature, les amitiés de cabaret lui ont sans doute permis d'entraîner sa verve satirique dans un cadre d'improvisation et d'émulation qui favorisait la réaction à l'actualité immédiate dont son œuvre gardera longtemps la trace. Il n'a pris un premier privilège pour ses œuvres qu'en 1666 : quittant le champ strictement mondain de la circulation manuscrite restreinte de ses pièces et des performances orales qu'il se plaisait à en donner à ses amis, Boileau entre alors de manière fracassante dans le champ littéraire, et suscite une réaction assez vive de la part des poètes établis, souvent égratignés au fil des *Satires*.

Les attaques fusent alors contre le satirique, de la part de Pierre Perrin, de Quinault ou de l'abbé Cotin (1604-1681) ; le *Discours satyrique au cynique Despreaux* le présente comme un parasite et un débauché familier des « lieux où l'on s'enivre », la *Critique désintéressée sur les Satyres du temps* de Cotin pose le problème général de la satire, en dénonçant le choix des attaques personnelles qu'a fait Boileau, et en lui opposant la bonne tradition satirique, qui vise les vices en général, comme l'a fait Horace, et non les personnes. Comme Corneille trente ans plus tôt avec *Le Cid*, comme Molière, plus récemment, avec *L'École des femmes*, Boileau se voit contraint de « théoriser » sur la satire à la suite des attaques contre ses œuvres. De l'indignation, il a dû passer à la réflexion, rejoignant en cela un processus spécifique de la construction doctrinale, qui ne semble guère pouvoir se penser hors du champ de la polémique (voir ci-dessus, p. 47).

La réponse de Boileau est toute dans la *Satire* IX, et le *Discours sur la satire* qui l'accompagne : écrits durant l'année 1667, et publiés pour la première fois en 1668, ces deux textes sont bien représentatifs de la manière de Boileau, qui a toujours su mêler habilement la réflexion poétique en vers et le discours critique en prose. À lire le *Discours*, on voit que, pour Boileau, attaquer la satire, ce serait attaquer la poésie en général, et la mauvaise censure, conçue essentiellement pour « établir la sûreté des sots et des ridicules » risquerait d'envoyer tous les bons poètes en exil ! Le corpus publié en 1668 est repris en 1674 dans le recueil des *Œuvres diverses*, complété par les *Épîtres* I à IV, l'*Art poétique*, les quatre premiers chants du *Lutrin* et la traduction du *Traité du Sublime*. Boileau avait déjà eu l'occasion de développer une analyse critique au sujet d'un conte de La Fontaine, dans la *Dissertation sur Joconde* (1669) qui est, après le *Discours sur la satire*, une seconde étape vers la constitution d'un discours critique « sérieux », avec l'affirmation de thèmes étroitement liés à la notion de classicisme, comme celui de l'imitation et la construction philologique de la notion de modèle.

En 1674, l'*Art poétique* vient « à son heure » (Collinet, 1985) : cela est sans doute d'autant plus vrai que cette heure avait été, en fait, préparée par Boileau lui-même, dont l'évolution vers un discours plus systématique, explicable autant par l'influence des discussions de l'hôtel Lamoignon et les échanges avec le P. Rapin qu'aux débats littéraires auxquels Boileau avait été directement mêlé avec les *Satires*, et la défense de *Joconde*. Cela s'accompagnait d'une reconnaissance accrue du poète au sein de la bonne société : loin des fréquentations de cabaret de sa jeunesse, Boileau était désormais reçu dans l'entourage de Condé, il fréquentait La Rochefoucauld, Madame de Lafayette, Guilleragues. En janvier 1674, il est présenté au roi lui-même, qui lui promet une pension de deux mille livres (qu'il touchera à partir de 1676) ; surtout, la disparition de Colbert, en février, lui permet d'obtenir un privilège pour imprimer ses œuvres (le 28 mars), ce à quoi s'était opposé le ministre deux ans plus tôt.

Avec l'*Art poétique* et surtout, figurant en toutes lettres sur la page de titre, « *avec le Traité du sublime ou du merveilleux dans le discours traduit du grec de Longin* », le poéticien s'affirme donc avec force. Il n'en reste pas moins que le recueil, justement intitulé « œuvres diverses », ne propose pas que les poésies déjà connues, auxquelles seraient associées les nouvelles pièces théoriques. On y trouve aussi les premières épîtres et, surtout, les quatre premiers chants du *Lutrin*, dont Boileau revendique l'originalité poétique (au rebours de la tradition burlesque, il propose le mode « héroï-comique »). Le titre d'*Œuvres diverses* signale l'ambition affichée par le poète de montrer la diversité de son inspiration et de son style : ce faisant, Boileau prend appui sur la valeur fort ancienne de la *varietas*, que l'on pouvait considérer comme l'essence de la parole poétique, au moins depuis Virgile. Comme La Fontaine, Boileau défend un idéal de diversité, qui est profondément humaniste, autant que mondain, et cela explique en quoi la culture savante du cercle de Lamoignon pouvait goûter l'œuvre du satirique et en quoi elle caractérise une vision « classique » de la pratique littéraire. En effet, le jeu littéraire du *Lutrin* atteste un rapport libre et aisé avec l'Antiquité, où l'imitation-émulation est la règle – sans complexe excessif à l'égard du modèle – et qui est caractéristique de l'attitude classique, comme nous l'avons déjà vu (voir ci-dessus, p. 48) : c'est bien en effet la même imitation « adulte » que défendait Guez de Balzac dans son *Apologie* de 1627 et dans ses *Œuvres diverses* de 1644, sans laquelle l'existence de ce que Boileau appelle le « Parnasse français » serait impossible. La Fontaine ne dira pas autrement dans l'*Épître à Huet*, justement contemporaine des *Œuvres diverses* de Boileau.

Avec les *Satires* qui figurent dans le recueil, Boileau ne trahit pas sa poétique initiale, montrant que la mise en vers des mots simples conduit aussi à la plus haute poésie. Cela explique le goût de la plasticité et des changements de registre dont Boileau fait constamment preuve, illustrant ainsi par la pratique, plus que par la théorie, la « poétique » qui est la sienne. Cela explique aussi qu'il ne lui est pas nécessaire de forcer sa voix, dans les grands genres, pour faire œuvre de poète. Comme l'exprimera sa traduction de Longin, la « petitesse énergique des paroles » peut parfois conduire à l'effet le plus puissant (le sublime) là où le style sublime (les grands mots) échoue. Ce délicat équilibre entre *res* et *verba* sera encore présent au cœur de la réflexion de Boileau au sujet du « style des inscriptions », lorsqu'il condamnera notamment l'usage des épithètes superflues pour qualifier les grandes actions du monarque. À cet égard, le classicisme de Boileau apparaît nettement comme un « atticisme », qui engage non seulement un rapport spécifique aux modèles anciens, mais aussi une conception précise de l'usage de la langue, et de ses capacités éloquentes, comprises dans un rapport d'équilibre entre *res* et *verba* : la précellence du style moyen (Beugnot, 1999) est le gage de cet atticisme, dont l'effet est d'autant plus puissant qu'il est discret, comme celui de l'idylle décrit au chant II de *L'Art poétique* (v. 7-10) :

> Son tour simple et naïf n'a rien de fastueux,
> Et n'aime point l'orgueil d'un vers présomptueux.
> Il faut que sa douceur flatte, chatoüille, éveille ;
> Et jamais de grands mots n'épouvante l'oreille.

Boileau formule ainsi, pour la parole poétique, les mêmes exigences que celles que la tradition rhétorique, à l'école de Cicéron et de Longin, avait peu à peu formulé pour la parole oratoire, depuis la Renaissance italienne jusqu'à « l'âge de l'éloquence » (voir ci-dessus p. 54). Ce n'est pas réduire son apport que de constater à quel point *L'Art poétique* est cicéronien, presque autant qu'il est horatien. Si les *Œuvres diverses* constituent un « manifeste du classicisme », c'est donc sans doute autant par les notions qu'elles mettent en avant que par les réussites de l'expression poétique qu'elles donnent à lire. Le savant et le poète ne sont pas dissociables : c'est en cela que Boileau critique demeure toujours Boileau poète.

Bibliographie indicative

Pour les éditions des textes du XVIIᵉ siècle, on se reportera, pour les plus connus, aux nombreuses éditions en format de poche, notamment en « Folio-Classique », et aux auteurs publiés dans la « Bibliothèque de la Pléiade ». La « Société des Textes Français Modernes » (S.T.F.M.) et la collection « Sources classiques » (Champion, Paris) offrent des éditions critiques de nombreux textes.

ADAM Antoine, *Histoire de la littérature française au XVIIᵉ siècle*, Domat Montchrestien, Paris, 1948-1956.

ADAM Antoine, « L'école de 1650 », *Revue d'Histoire de la Philosophie*, 1942, p. 23-52 et p. 134-152.

BÉNICHOU Paul, *Morales du Grand siècle*, Gallimard, Paris, 1948.

BORGERHOFF Elbert B.O., *The Freedom of French Classicism*, Princeton U.P., Princeton, 1950.

BRAY René, *La Formation de la doctrine classique en France*, Hachette, Paris, 1927.

BRODY Jules, *Boileau and Longinus*, Droz, Genève, 1958.

BRODY Jules, *Lectures classiques*, Rookwood Press, Charlottesville, 1996.

BURY Emmanuel et FORESTIER Georges, *Le XVIIᵉ siècle*, in J.-Y. Tadié (dir.), *La Littérature française : dynamique & histoire I*, Gallimard (« Folio/ Essais »), Paris, 2007, pp. 457-691.

BURY Emmanuel, *Le Classicisme. L'Avènement du modèle littéraire français (1660-1680)*, Nathan, Paris, 1993.

Bury Emmanuel, *Littérature et politesse. L'invention de l'honnête homme (1580-1750)*, PUF, Paris, 1996.

Chartier Roger, Compère Marie-Madeleine et Julia Dominique, *L'Éducation en France du xvie au xviiie siècle*, SEDES, Paris, 1976.

Chedozeau Bernard, *Le Baroque*, Nathan, Paris, 1989.

Cioranescu Alexandre, *Le Masque et le visage : du baroque espagnol au classicisme français*, Droz, Genève, 1983.

Cornette Joël, *Absolutisme et Lumières 1652-1783*, Hachette, Paris, 2012 (1ère édition 1993).

Cornette Joël, *L'Affirmation de l'État absolu 1492-1652*, « Histoire de la France », Hachette, Paris, 2012 (1ère édition 1993).

Denis Delphine, *Le Parnasse galant : institution d'une catégorie littéraire au xviie siècle*, Champion, Paris, 2001.

Drévillon Hervé, *Les Rois absolus (1629-1715)*, vol. 7 de l'*Histoire de France*, sous la direction de Joël Cornette, Belin, Paris, 2011.

Dubois Claude-Gilbert, *Le baroque en Europe et en France*, PUF, Paris, 1995.

Ferreyrolles Gérard, *Les Reines du monde. L'imagination et la coutume chez Pascal*, Champion, Paris, 1995.

Forestier Georges, *Essai de génétique théâtrale. Corneille à l'œuvre*, Klincksieck, Paris, 1996.

Forestier Georges, *Passions tragiques et règles classiques. Essai sur la tragédie française*, PUF, Paris, 2003.

Fumaroli Marc, *L'Âge de l'éloquence. Rhétorique et « res literaria » de la Renaissance au seuil de l'époque classique*, Droz, Genève, 1980.

Fumaroli Marc, *Les abeilles et les araignées*, en tête de *La Querelle des Anciens et des Modernes*, Gallimard, « Folio/Essais », Paris, 2001.

Génetiot Alain, *Le Classicisme*, PUF, Paris, 2005.

Génetiot Alain, *Poétique du loisir mondain de Voiture à La Fontaine*, Champion, Paris, 1997.

Goubert Pierre, *Le Siècle de Louis XIV*, De Fallois, Paris, 1996.

GRELL Chantal, *Histoire intellectuelle et culturelle de la France du Grand Siècle (1654-1715)*, Nathan, Paris, 2000.

JOUHAUD Christian, *Les Pouvoirs de la littérature*, Gallimard, Paris, 2000.

LATHUILLIÈRE Roger, *La Préciosité*, Droz, Genève, 1966.

LE ROUX Nicolas, *Les Guerres de Religion (1559-1629)*, vol. 6 de l'*Histoire de France*, sous la direction de Joël Cornette, Belin, Paris, 2010.

LEBRUN François, VÉNARD (Marc), QUÉNIART (Jean), *Histoire de l'enseignement et de l'éducation, II, 1480-1789*, Perrin (« Tempus »), Paris, 2003.

MARTIN Henri-Jean, *Livre, pouvoirs et société à Paris au xviie siècle*, Droz, Genève, 1969.

MERLIN Hélène, *L'excentricité académique. Littérature, institution, société*, Les Belles Lettres, Paris, 2001.

MERLIN Hélène, *Public et littérature en France au xviie siècle*, Les Belles Lettres, Paris, 1994.

MESNARD Jean (dir.), *Précis de Littérature française du xviie siècle*, P.U.F., Paris, 1990 (M. Fumaroli, R. Zuber, B. Tocanne et N. Hepp).

MILLIOT Vincent, *Cultures, sensibilités et société dans la France d'Ancien Régime*, Nathan, Paris, 1996.

MORNET Daniel, *Histoire de la littérature française classique 1660-1700, Ses caractères véritables, ses aspects inconnus*, Armand Colin, Paris, 1940.

NAVES Raymond, *Le Goût de Voltaire*, Garnier, Paris, s. d. [1938].

PETITFILS Jean-Christian, *Fouquet*, Perrin, Paris, 2005.

PETITFILS Jean-Christian, *Louis XIV*, Perrin, Paris, 1995.

PETITFILS Jean-Christian, *Louis XIII*, Perrin, Paris, 2008.

PEYRE Henri, *Les Générations littéraires*, Boivin, Paris, 1948.

PEYRE Henri, *Le Classicisme français*, Editions de la Maison Française, New York, 1942.

PICCIOLA Liliane, *Corneille et la dramaturgie espagnole*, Narr, Tübingen, 2002.

PINTARD René, *Le libertinage érudit dans la première moitié du XVIIe siècle*, Slatkine, Paris, 1943 (reprint, 1983).

RAYMOND Marcel, *Baroque et Renaissance poétique*, Corti, Paris, 1955.

REY Alain, DUVAL Frédéric, SIOUFFI Gilles, *Mille ans de langue française, histoire d'une passion, I, Des origines au français moderne*, Perrin (« Tempus »), Paris, 2011.

ROHOU Jean, *Le XVIIe siècle, une révolution de la condition humaine*, Ed. du Seuil, Paris, 2002.

ROUSSET Jean, *La littérature de l'âge baroque en France. Circé et le paon*, Paris, Corti, 1953.

SAULNIER Verdun-Louis, *La littérature française du siècle classique*, P.U.F. (« Que sais-je ? », n° 95), Paris, 1943.

THUAU Etienne, *Raison d'État et pensée politique à l'époque de Richelieu*, A. Colin, Paris, 1966.

VIALA Alain, *L'Esthétique galante*, SLC, Toulouse, 1989.

VIALA Alain, *Naissance de l'écrivain*, Minuit, Paris, 1985.

ZUBER Roger, *Les Belles Infidèles et la formation du goût classique*, A. Michel, Paris, 1995 (2e éd.).

ZUBER Roger et CUÉNIN Micheline, *Le classicisme, 1660-1680*, Arthaud (« Littérature française/Poche », 4), Paris, 1984, 2e éd., GF-Flammarion, 1998.

ZUBER Roger, *La littérature française du XVIIe siècle*, P.U.F. (« Que sais-je ? », n° 95), Paris, 1993 (cf. Saulnier, 1943).

ZUBER Roger, *Les émerveillements de la raison. Classicismes littéraires du XVIIe siècle français*, Klincksieck, Paris, 1997.